CYFRES Y CEWRI 11

O GROTH Y DDÆAR

GERAINT BOWEN

Gwasg
Gwynedd

Argraffiad Cyntaf — Gorffennaf 1993

ISBN 0 86074 090 0

Cyhoeddwyd ac argraffwyd
gan Wasg Gwynedd, Caernarfon

Er cof am
Nhad a Mam

Cynnwys

Yr Hen Froydd

Bûm yn pendroni ers tro, o'r amser y gwahoddwyd fi i ysgrifennu hyn o hunangofiant, sut orau i'w gychwyn. Treuliais fy llencyndod yng Ngheinewydd, Ceredigion lle'r oedd fy nhad yn weinidog, ond, ac edrych yn ôl, digon arwynebol oedd fy mherthynas â'r gymuned yno. Bachgen dwad oeddwn i, a Bowen Bach oedd fy llysenw. Llafurus a phoenus fu'r ymdrechion i'm huniaethu fy hun â'r gymdeithas leol. Ehangodd cylch fy nghydnabod wedi i mi symud i Ysgol Uwchradd Aberaeron, ac fe wellodd pethau.

Fy mhroblem fwyaf oedd bod fy nghysylltiadau teuluol i gyd yn sir Gâr a Morgannwg. Digwyddais gael fy ngeni yn Llanelli, 10 Medi 1915, a threuliais fy mabandod cynnar yno. Yna bûm yn byw am yn agos i ddwy flynedd yn Llangynin, San Clêr cyn symud i'r Cei. Hanai fy nau dad-cu o sir Gâr, Thomas Griffith(s) o Lan-non, Llanelli a Thomas Bowen o'r Pwll, Pen-bre yn agos i Lanelli, a'm mam-gu o du fy nhad, Dinah Davies, o'r Bwlchnewydd, Llannewydd, yn ymyl Caerfyrddin. Ond gloren oedd fy mam-gu o du fy mam, Sarah Rees. Fe'i ganed hi yn y Dinas, Rhondda, yn ferch i Benjamin Rees o Eglwysilan ac Ann Butler o Landyfodwg, Cwm Ogwr, ac yn Nhreorci, y Rhondda y digwyddodd i 'nhad a'm mam gael eu geni.

Cawn y teimlad o hyd yn y Cei nad oeddwn na Chardi nac un o wylanod y Cei. Mae'n arwyddocaol fod tad un o'm ffrindiau cyntaf yn y Cei wedi bod yn löwr a bod mam-gu un arall yn hanu o Gernyw. Nid tafodiaith y Cei oedd tafodiaith yr aelwyd a chlywn gryn dipyn o Welsh English y Rhondda o enau fy mam a 'nhad. Aeth ymadroddi tebyg i — *I do go to chapel every Sunday. The window was broke. Not a word was spoke,* ac yn y blaen, yn ddwfn i'r ymwybyddiaeth, a bu rhaid i mi eu carthu allan trwy gymorth Ratz, *Higher English* a'r athro Saesneg yn Ysgol Uwchradd, Aberaeron, sef W. E. Jones a hanai o Went ac a oedd, fel minnau, wedi gorfod yn ei dro ymlafnio i'w waredu ei hun rhag y math ymadroddi a ystyriem yn llediaith. A hyd heddiw, er yr holl ymdrech gynnar, fe fyn ymadroddi o'r fath frigo o dro i dro wrth i mi lefaru Saesneg yn enwedig fel yr wyf yn heneiddio. Rwy'n weddol siŵr nad dylanwad yr ychydig o Saeson (meibion y *Coastguard* yn bennaf) a ddylanwadodd ar fy Saesneg. Prin y clywais unrhyw un o hen drigolion y Cei yn siarad Saesneg. Roedd hyd yn oed rhai capteiniaid hen longau hwyliau y Cei yn uniaith Gymraeg pan oeddwn yn llanc yn yr Ugeiniau. Ond, ysywaeth, nid oedd tafodiaith y Cei yn gymeradwy iawn y tu allan i blwyf Llanllwchaearn. Ni byddai fy nhad yn caniatáu i ni'r plant gario clecs neu glaps am neb o aelodau'r capel nac am unrhyw un o'r trigolion. Nid oeddem i loetran o gwmpas Cnwc y Clap, cornelyn uchel uwchben harbwr y Cei, a gwrando ar y morwyr a'r pysgotwyr a arferai ymgasglu yno ac adrodd am eu hanturiaethau ar y môr a sôn am arferion cudd rhai o bobl barchus y Cei a hynny mewn Cymraeg graenus, anfeiblaidd. Prin y disgwylid i grwtyn chwilfrydig gydymffurfio â'r gwaharddiad. Fe wn i un peth i sicrwydd, i mi, wrth glustfeinio yno, ddod i wybod aml

10

gyfrinach. Ehangwyd fy ngeirfa aflednais a deuthum i ddyfnach adnabyddiaeth o gymdeithas ddauwynebog y Cei. Wrth gwrs, ar yr aelwyd rhaid oedd cyfeirio at bob un yn barchus wrth ei gyfenw. Ni chaniateid llysenwau, ac roedd gan bawb ymron lysenw yn y Cei. Nid oeddem ni, y plant, i fynychu na dawns, na sinema, na siop chips, na ffair, na syrcas, na thafarn yn y Cei. Serch hynny, rwy'n cofio mynd ar neges ddirgel i dafarn y Prince of Wales, a oedd yn eiddo i ddau aelod o gapel fy nhad, mynd i mewn drwy'r ardd gefn yn ôl ei gyfarwyddyd manwl, i brynu ychydig o frandi iddo am ei fod yn dioddef yn y gwely o'r ffliw ac am wella erbyn y Sul. Rhoddodd botel fach i mi a hanner coron. Wrth ddychwelyd ar hyd y lôn gefn a throi wrth Siop Bapurau Huw Davies fe syrthiais a malwyd y botel. Roedd fy mam ar binnau yn fy nisgwyl. Estynnais wddf y botel iddi ac egluro. Aeth hi â'r neges i'r llofft. Dychwelodd ataf a'm cofleidio.

Rwy'n cofio hefyd, a minnau'n ddeuddeg oed, fynd yn groes i erfyniad fy nhad, i syrcas a oedd yn cael ei chynnal ar un o gaeau fferm y Neuadd sydd bellach yn fynwent. Heriwyd un o'r bechgyn yn y meinciau i farchogaeth y ceffyl a oedd yn trotian yn ddestlus o gwmpas y cylch. Rhuthrais innau i mewn gyda'r cyntaf a dangosais i fechgyn y Cei fy mod o leiaf yn gallu marchogaeth ceffyl a hynny nid yn eistedd ond yn sefyll ar ei gefn. Bu'r digwyddiad yn destun siarad. Mab gweinidog Towyn yn cymryd rhan mewn syrcas! Gwarthus! Dywedodd fy mam wrthyf drannoeth fod rhyw dderyn wedi dweud wrthi am y digwyddiad.

Euthum i ddawns yn y Cei unwaith. Roedd fy ffrind,

Twm Fowey House (y Dr Thomas Gwilym Jones, un o benaethiaid Lever Brothers, Port Sunlight wedyn) yn fy nghynorthwyo i smyglo fy siwt orau o'r tŷ wrth i mi ei thaflu o ffenestr y garet i lawr ato ac yntau yn sefyll ar yr allt wrth dalcen y tŷ.

Yn rhyfedd iawn, cefais ganiatâd i ymuno â'r *Sea Scouts* y diwrnod cyntaf y sefydlwyd y mudiad ym 1925 yn y Cei, a hynny, ddigon tebyg, am mai un o Lanelli, sef Trefor Daniel, oedd y sefydlydd. Codwyd tŷ clwb yn y cae gyferbyn â Francis Street, ond ni pharhaodd y mudiad yn hir iawn, rhyw saith mlynedd, efallai. Roeddwn ymysg yr ychydig a oedd yn bresennol yn y cyfarfod olaf a gynhaliwyd. Yn y cyfarfodydd dysgais y *morse code* a'r *semaphore*, sut i wneud cylymau o bob math a thrafod cwch hwyliau, sut i godi pabell a chwythu biwgl a sut i blygu baner yr *Union Jack*, ei chodi i dop y polyn a'i hagor yn daclus. Yn wir, roeddwn mor hyfedr ar wneud hyn nes fy newis i fod yn gyfrifol am y faner ymhob cynulliad pryd y gelwid ar yr holl drŵp i saliwtio'r faner Brydeinig, seremoni nad oeddwn yn ei hystyried yn fradwrus y pryd hynny.

Yn ddiweddarach ceisiais gan fy nhad gychwyn cangen o'r Urdd yn y Cei, ond ni fynnai. Credaf ei fod yn ofni creu clwb a fyddai'n cystadlu â Chyrddau Pobl Ifainc y Capel. Cymerwn ran amlwg yn y cyrddau hynny, dechrau'r cyfarfodydd, annerch a hyd yn oed pregethu.

Roedd y môr yn atyniad mawr i mi. Cerddwn y traethau a dringwn y creigiau ar fy mhen fy hunan, ie, cyn belled â Llangrannog yn y de ac Aberaeron i'r gogledd ar brydiau. Byddwn yn aml yn mynd gyda'r pysgotwyr ben bore, tua phump o'r gloch fel arfer, yn yr haf i ddal mecryll. Dysgais y gamp o ddal *pollock* a sut i 'redeg rhwydi' a dal sgadan hefyd. Y llong hwyliau 'Pamela' oedd teitl y cywydd cyntaf a luniais.

Ond y capel oedd canolfan bywyd. Roeddem ni'r plant yno deirgwaith y Sul a phob noson o'r wythnos ac eithrio dydd Mercher a'r Sadwrn — Cwrdd Gweddi, Dosbarth Beiblaidd neu Ddosbarth Tonic Sol-ffa, Cymdeithas y Bobl Ifainc a Seiat a hyd yn oed ar ddydd Mercher, roedd te i'r aelodau yn y festri. Nid oedd fy mam yn grefyddlyd, ac ar nos Sul yn unig y gwelid hi yn y capel. Ni welid fy nhad fyth yn yr ysgol Sul yn y Cei. Byddai yn mynd i'w wely yn syth ar ôl cinio'r Sul i orffwys ac atgyfnerthu at yr hwyr. Yn fy llencyndod cynnar rhywbeth capelaidd oedd cymdeithas. Yn wir, rwy'n cofio'r dydd y gwawriodd arnaf gyntaf fod y fath beth â chymdeithas bentrefol yn bod o gwbl yn y Cei.

I mi roedd cynefin y llwyth rywle y tu hwnt i Groesffordd Llangeler, ond digon annelwig a phrin oedd fy ngwybodaeth am fro fy mabandod a'm hadnabyddiaeth o'm perthnasau a'm gwreiddiau. Cefais yr argraff o'r hyn a wyddwn fod cymaint o hap a siawns yn perthyn i hanes y teulu nes rhyfeddu fy mod ar dir y byw o gwbl a'm bod yr hyn oeddwn. Roedd fy chwilfrydedd yn fawr. Holwn fy rhieni o hyd ac o hyd a phigwn eu cof gan eu gwneud yn anesmwyth ar brydiau. Gwyddwn eu bod yn cuddio pethau oddi wrthym ni, y plant, ond ni pheidiais yn fy ymchwil i ddod at y ffeithiau, a rhaid i mi gyfaddef i mi gael cryn gymorth gan fy modryb, Bopa Jane, chwaer fy mam, a oedd yn ddibynadwy ei gwybodaeth ac yn ddiflewyn ar dafod yn ei datguddiadau o'r ffeithiau. Yn wir, mae fy ymchwil i orffennol y teulu yn rhan bwysig o'm hunangofiant. Yn ystod fy nhymor yn fyfyriwr yn y Brifysgol yng Nghaerdydd, yn athro yn Nhonyrefail ac ym Mhen-bre, Llanelli ac yn ddiweddarach yn Arolygydd Ysgolion ei Mawrhydi yn y Rhondda y cefais wir gyfle i hel y ffeithiau a hynny oddi ar berthnasau pell ac agos ac o archifdai, llyfrgelloedd a cherrig beddau, a bu'r wybodaeth yn gaffaeliad ac yn iechyd i'm meddwl a'm hysbryd.

Fy nheulu o ochr fy mam

Ym 1990 fe'm gwahoddwyd i ddadorchuddio cofeb i'm hewythr, y bardd, Ben Bowen, brawd fy nhad, ar wal y tŷ, 6 Victoria Street, Ton Pentre, Rhondda lle y bu farw yn 24 oed, ac i annerch mewn cyngerdd coffa iddo yng Nghapel Annibynwyr y Ton ar 29 o Dachwedd. Cychwynnais o'r tŷ yn Nhal-y-llyn wrth droed Cadair Idris yn fy Awstin Mini ben bore a theithio dros Ddylife a'r Epynt, dros Fannau Brycheiniog a thrwy'r Hirwaun a Mynydd Rhigos. Daeth Cwm Rhondda i'r golwg a'r ddau fynydd cyntaf i mi gofio eu gweld erioed, sef Penpych a Moel Cadwgan. Roedd hi'n fore braf, a chan fod rhyw ddwy awr i fynd cyn y dadorchuddio, gadewais y ffordd fawr wrth dafarn y Red Cow yn Nhreorci a throi i fyny i Troedyrhiw Terrace wrth droed Moel Cadwgan. Ie, yno roedd Rhif 3 o fewn golwg i Bwll Glo Tynybedw, lle'r oedd fy nhad-cu, Thomas Griffiths, ar un adeg yn fanejer pen-pwll. Dyma'r tŷ y trigai teulu fy mam ynddo ym 1891, a dyma Rif 29, y tŷ y dechreuodd fy mam a 'nhad eu bywyd priodasol ynddo. Rhannu tŷ roeddynt â Dafydd Samuel a Sarah, ei wraig, chwaer mam, ym 1900. Roedd 'nhad a Dai Sam a brodyr fy mam, sef Thomas, David a John i gyd yn gweithio ym Mhwll Tynybedw hefyd. Daeth rhyw dristwch drosof o weld bod yr hen bwll wedi'i gau a bod y trigolion yn baldorddi estroniaeih lle gynt, yn yr Ugeiniau, Cymraeg a glywn.

Rhyw *gul-de-sac* oedd Troedyrhiw a rhaid oedd troi'n

ôl at y Red Cow, a chofiais mai hon oedd y dafarn a fynychid gan frodyr fy mam a lle y dysgodd ei brawd, John, sut i ddawnsio, camp yr ymffrostiai ynddi drwy ei oes. Pwyswr yng ngwaith glo Tu-draw, Blaenrhondda ydoedd cyn ymddeol, er iddo gael ei brentisio'n deiliwr. Priododd yn hwyr yn ei ddydd â Sally Griffiths, llysferch John Thomas a oedd yn byw yn ymyl Capel Moriah ac a oedd wedi ennill enw da iddo'i hun fel yfwr chwisgi. Nid bod hyn yn mennu llawer ar Owa John ar y pryd. Yn ddiweddarach fe drows Owa John yn llwyrymwrthodwr ac ymgolli mewn llenwi *football pools*, a gwae'r neb a fyddai'n siarad pan fyddai'r radio yn cyhoeddi canlyniadau'r meysydd pêl-droed.

Ond heb amheuaeth roedd y dafarn yn chwarae lle amlwg yn hanes y teulu. Ni wn a oedd a wnelai hyn â'r ffaith fod Thomas Griffiths, tad mam, yn ŵr o feddwl annibynnol nad âi yn agos at le o addoliad. Iddo ef, nid oedd a wnelai crediniaethau ddim byd oll â'r gwirionedd. Dyna pam, mae'n amlwg, nad oedd y capel yn ganolfan gymdeithasol i'r teulu. Nid oedd yn ddiotwr ei hunan, ond roedd yn ysmygwr, ac mae ei flwch baco ar silff y tŷ yma ar hyn o bryd. Y pwll glo oedd ei fywyd. Yn bendifaddau, os oedd, yn ôl pob hanes, yn bell o fod yn *alcoholic*, roedd yn sicr yn *workaholic*, ys dywedir. Roedd yn byw ac yn bod ar ben y pwll ddydd Sul a dydd gwaith tan y diwedd. Gelwid ef y gaffer.

Beth bynnag, priododd ei fab hynaf, Thomas, â Mary Elizabeth Morgan o Ynys-y-bŵl, morwyn yn nhafarn Y Griffin, Pentre a bu iddynt naw o blant.

Priododd brawd Thomas Griffiths, sef William

Griffiths â Margaret, merch tafarn Y Welsh Harp, Aberdâr. Credai Margaret mewn cymedroldeb ac fe'i llysenwid hi — Peggy dim racor. Roedd gan y gŵr lysenw hefyd — Wil Swllt Mawr (ei enw ef ar yr hen ddarn Coron), ond, yn ôl Bopa Jane, chwaer fy mam, fe wyddai ei Feibl o glawr i glawr. Bu farw'n ddi-blant, a'i frawd, Thomas Griffiths oedd yn gyfrifol am ei ewyllys. Aeth holl aelodau'r teulu, ac eithrio fy mam, i'w angladd ym mynwent Y Llethr Du. Gwelais ei bapur claddu ym meddiant Bopa Jane.

Priododd chwaer iddo, Rachel, â gŵr o'r enw George Garland o Heol-fach, Bodringallt. Roedd hi'n lletya gyda theulu Thomas Griffiths ac yn gweithio yn y pwll glo ym 1861 cyn priodi. Ymfudodd y ddau i Ohio, y Taleithiau Unedig, a buont yn cadw *vault* cwrw yn y ddinas. Bu hi farw'n ifanc.

Ond ceir awgrym yn hanes chwiorydd Thomas Griffiths fod y dafarn wedi peidio â bod yn ganolfan bywydau rhai o leiaf o'r teulu. Priododd Mary, un o'i chwiorydd â Rees Evans a ddaethai i Ystradfychan gyda David Davies, Llandinam yn Chwedegau'r ganrif ddiwethaf. Trigai yng Nghwm-parc, ond ymadawodd â'r Cwm wedi ei benodi yn *booking clerk* yng ngorsaf reilffordd Llan-rwst. Gwnaeth ei gartref yn 3 George Street, Llan-rwst a bu'n flaenor gyda'r Methodistiaid yn y dref. Bu iddo ddwy ferch a bu un ohonynt, Elizabeth Ann, yn brifathrawes.

Priododd chwaer arall iddo, Sarah, a gadwai dafarn goffi yng Nghaerffili, â William Ashton, gof a phregethwr cynorthwyol yn y dref honno. Roedd Ann, y chwaer ieuengaf yn briod ag Owen Davies a chydag ef yn aelod yng Nghapel yr Annibynwyr, Cymer, Porth.

Gwelodd Thomas Griffiths (neu Griffith), fy nhad-cu, olau dydd gyntaf mewn bwthyn o'r enw Ynys Befers ym mhlwyf Llan-non, Llanelli yn ail fab i lafurwr, David Griffiths, a'i wraig, Jane Jones, ar y 25 o Fedi. Dyna'r dydd a'r mis, ond amrywia'r dystiolaeth parthed y flwyddyn — 1839 yn ôl Cyfrifiad 1841, 1841 yn ôl ei dystysgrif fel *Undermanager*, 1843 yn ôl ei dystysgrif priodi, 1844 yn ôl cofnod ym Meibl y teulu. Felly rhaid derbyn mai 1839 oedd blwyddyn ei eni.

Bedyddwyr oedd ei dad (a aned yn Llanelli ym 1809) a'i fam (a aned ym 1813), ond priodwyd David a Jane yn eglwys Llan-non 28 Awst, 1831. Tystion y briodas oedd y tadau, David Griffiths o Lanelli a Thomas Jones. Roedd tad a mam Thomas Griffiths yn aelodau yng Nghapel Hermon, Llan-non, plwyf a fu yn gynharach yn enwog am yr academi i anghydffurfwyr a gynhelid mewn ffermdy o'r enw Pen-twyn lle y bu Richard Price, yr athronydd o Langeinor, Morgannwg, dan addysg am bedair blynedd.

Rhywbryd rhwng 1847 a 1851 symudodd y teulu, y tad a'r fam ac wyth o blant yn cynnwys Mary (20 oed), Sarah (16 oed), Daniel ac Elizabeth, o Lan-non i Gwmdâr, Aberdâr gan fyw yn Alma Street. Buasai un plentyn, John, a aned ym 1838, farw yn ei fabandod. Yng Nghwmdâr ganed iddynt ym 1855 y plentyn ieuengaf, sef Ann a briododd ag Owen Davies. Bu iddynt dri o blant, Lydia, Jack a William. Yn y Pumdegau bu cryn farwolaethau yng Nghwm Aberdâr oherwydd y colera. Bu'r clefyd yn achos marwolaeth y pen teulu a chladdwyd David Griffith yn Heolyfelin.

Yng Nghyfrifiad 1861 disgrifir Jane Griffith, y fam, fel *widow* 47 oed a *washerwoman*. Rhestrir chwech o'r plant. Disgrifir William, David a Rachel (14 oed) fel *coalminers*, Daniel (12 oed) fel *Mining Door Boy (Airway)*, a rhoddir enwau pedwar *lodger*. Bu farw Daniel o'r dyfrglwyf *(dropsy)* yn nhŷ fy nhad-cu, Thomas Griffiths, 19 Chwefror 1886 yn 37 oed a'i gladdu yn Heolyfelin, Aberdâr yn yr un bedd â thad a mam y teulu. Roedd y teulu, gyda llaw, yn gyfeillgar iawn â Henry Jacob, tad H. T. Jacob, y pregethwr poblogaidd o Abergwaun, cyn iddo symud i Dreorci i weithio fel gof.

Nid yw enw Thomas Griffiths, fy nhad-cu, a fuasai'n rhyw 22 oed erbyn 1861 na'i ddwy chwaer, Mary a Sarah yn y rhestr am y teulu yng Nghyfrifiad y flwyddyn honno. Hyd y gwyddom, roedd Thomas wedi symud o Gwmdâr i weithio yn un o byllau'r Cymer ym mhlwyf Llantrisant yn rhan isaf Cwm Rhondda. (Eglurir yn y rhagair i'r rhestr o drigolion Llantrisant yng Nghyfrifiad 1851 — *'The Parish of Llantrisaint includes the Villages of Cymer, Craigddu, Dinas and Storehouse.'*) Roedd yr ardal yn enghraifft wych o'r hyn a eilw rhai yn *'border town'*, a thystia hanes y teulu i'r ffaith bod y cymunedau dwad, diwreiddiedig, tlawd, diniwed, diymadferth a hygoelus yn ysglyfaeth hawdd i drachwant bragwyr, cyfalafwyr, tirfeddianwyr a biblerwyr a'u ffantasïau. Mae digon o dystiolaeth yn hanes y teulu hefyd nad oedd yr un ferch ifanc a ddeuai i'r ardal na'r un weddw ifanc yn gorfod aros yn hir cyn cael ei beichiogi. Hawdd deall hyn gan fod cymaint mwy o fechgyn ifainc yn y Cwm nag o ferched. Roedd hi'n amlwg hefyd fod carwriaeth yn gyfnod i brofi a oedd merch yn blantadwy ai peidio.

Dilynwyd Thomas Griffiths yno yn ddiweddarach gan ei frawd Dafydd. Yno y cyfarfu Thomas â gwraig weddw ifanc ddi-blant o'r enw Sarah Ellis (*née* Rees) a'i phriodi 14 Awst, 1866 yn Sardis, Capel yr Annibynwyr, Pontypridd, a hithau'n 24 oed. Roedd hi wedi'i chodi yn Annibynwraig. Pedair ar ddeg oed oedd hi pan gollodd ei thad, Benjamin Rees, glöwr ac aelod yng Nghapel yr Annibynwyr, Cymer, a bu rhaid iddi fynd i ddysgu gwnïo. Disgrifir hi yn Nghyfrifiad 1861 fel *servant*, a chofnodir ei bod yn byw yn y Dinas, Llantrisant. Roedd hi mewn gwirionedd yn forwyn i Ishmael Williams yn Siop a Swyddfa'r Post, Storehouse, y Dinas. Yn ôl y dystysgrif priodi, glöwr oedd y priodfab ac fe drigai yntau ym mhlwyf Llantrisant. Torrodd Sarah ei henw ar y dystysgrif, ond croes a roes Thomas. Mae'n amlwg ei fod yn anllythrennog. Mae'n hawdd derbyn hyn oherwydd yn wahanol i Sarah ni chafodd ef ddiwrnod o ysgol, a pharhaodd yn Gymro uniaith drwy'i oes. Pedwar mis cyn y briodas fe aned i Sarah fab o'r enw Thomas. Fe'i cofrestrwyd wrth yr enw Thomas Ellis, ond wedi i'w rieni briodi fe'i bedyddiwyd yn eglwys Llantrisant 16 Medi. Mae cofrestr yr eglwys yn cofnodi ei enw fel Thomas mab Thomas a Sarah Griffiths, ac yn ôl y glonc deuluol gelwid ef am beth amser wedyn yn Thomas Ellis Griffiths. Roedd gweddill y glonc yn datguddio bod Sarah, a hithau, er mawr lawenydd iddi, yn feichiog, wedi ceisio dod o hyd i Thomas Griffiths, y tad, a oedd yn cael ei gyflogi gan y contractwyr, E. Thomas a G. Griffiths, i agor glofeydd newydd yn uwch i fyny Cwm Rhondda. Roedd ei waith

20

yn golygu y byddai yn newid ei lety yn aml ac roedd hithau wedi methu dod o hyd iddo yn gynharach i roi'r newydd da iddo.

Erbyn 1872 roedd y teulu wedi hen ymsefydlu yn Sir David's Place, Llantrisant, ac yno y ganed ail fab, John, 2 Mawrth, 1872, ond bu farw yr un diwrnod. Yno hefyd y ganed y ferch hynaf, Sarah Ann, a'i bedyddio yn eglwys y plwyf 17 Tachwedd, 1872. Wedi symud o Lantrisant y ganed John (eto) 9 Medi, 1873, David 26 Mai, 1875, Mary Jane 10 Mehefin, 1879 a fy mam. Bedyddiwyd Mary Jane yn Hermon, Capel yr Annibynwyr, Treorci yn gynnar yn yr Wythdegau. Cafodd ei phrentisio'n wniadwraig. Dylid egluro, os digwyddai i un o'r plant hynaf farw, roedd hi'n arferiad rhoi enw hwnnw ar y newyddanedig. Dyna a ddigwyddodd yn hanes John.

Gwnaeth brawd Thomas Griffiths, sef Dafydd, hefyd ei gartref yn Llantrisant a phriodi Mary Beia Taylor. Ganed iddynt fab, Isaac. Trigai ef, wedi iddo briodi â Jennie Jenkins, yn 27 Newbridge Road, a bu iddo un ar ddeg o blant. Bu'r rhan fwyaf ohonynt yn lowyr, ac o'r herwydd gelwid y teulu niferus yn *The Black Army*. Roedd gan Isaac hawl pori ar y comin yn Llantrisant.

Rhwng 1870 a 1881 symudodd teulu Thomas Griffiths, fy nhad-cu, i Heol-fach, Ystrad, oherwydd bod Thomas Griffiths bellach yn *overman* yn y Gelli, un o byllau John Cory. Oddi yno aeth yn *Under Manager* i bwll newydd Tynybedw (Pwll Swamp fel y gelwid ef ar lafar). Yn ôl a ddywedir ar ei dystysgrif *Undermanager*, a enillodd ym 1888, roedd ef wedi bod yn gwneud gwaith *Undermanager* yno ar y ffin rhwng

Pentre a Threorci am nifer o flynyddoedd. Dywedodd Cory wrtho un diwrnod y buasai yn cael swydd *Manager* pe bai'n gallu Saesneg. Roedd wedi symud o'r Heolfach i fyw yn nes at y gwaith, sef i 1 Carne Street, (111 High Street, gynt), Pentre gyferbyn â lle safai Neuadd Byddin yr Iachawdwriaeth ers talwm a lle y gwelir bellach dai i oedolion. Yn 1 Carne Street y ganed fy mam 12 Ebrill, 1881 a'i bedyddio yr un pryd â'i chefnder, Isaac o Lantrisant, yn hen eglwys Ystradyfodwg, Pentre 15 Mehefin, 1881. Yno hefyd y ganed chwaer iddi o'r enw Edith 4 Gorffennaf, 1883. Roedd hi'n blentyn eiddil iawn. Bedyddiwyd hithau hefyd yn eglwys Ystradyfodwg, Mawrth 12, 1884 ond bu hi farw 6 Ionawr, 1885.

Ym 1886 cawn y teulu yn symud tŷ unwaith yn rhagor a gwneud cartref yn 3 Troedyrhiw Terrace, Ystradyfodwg (Treorci) o fewn rhyw 400 llath o Bwll Tynybedw. Dylid egluro nad oedd plwyf Ystradyfodwg wedi'i rannu'n drefydd, Treorci, Treherbert, etc, y pryd hyn.

Enw ar fferm oedd Tynybedw yn wreiddiol. Yn ôl Map y Degwm bu'r fferm yn eiddo i Bailey Crawshay. Suddwyd y pwll glo dan oruchwyliaeth Thomas Griffiths ar gwr isaf Moel Cadwgan yn yr Wythdegau, a bu llawer o godi tai ar dir y fferm oddeutu'r ffordd islaw'r pwll. Gwelais weithred *Indenture* ym meddiant Bopa Jane, a ddatguddiai fod Thomas Griffiths, ac yntau'n byw yn Troedyrhiw Terrace, wedi cael les i godi tri thŷ, sef rhifau 110, 111 High Street, Treorci ym 1896 a rhif 112 ym 1898 ar dir Tynybedw a ddisgrifir yn y weithred fel *'Carne Lands'*. Ef oedd piau 29

Troedyrhiw Terrace hefyd. Roedd yn ceisio prynu un tŷ newydd bob blwyddyn o'r arian bonws a gâi bob Nadolig gan ei gyflogwr, John Cory. O leiaf un tŷ i bob un o'r plant, dyna oedd y bwriad. O 3 Troedyrhiw Terrace symudodd y teulu am y tro olaf i'r tŷ newydd, sef 112 High Street, Treorci. Yn ôl Cyfrifiad 1891 Cymraeg yn unig oedd iaith yr aelwyd.

Bu Thomas Griffiths yn was cyflog i berchnogion y pyllau glo o'i lencyndod heb golli diwrnod o waith. Trawyd ef yn wael iawn o lid yr ysgyfaint tua Nadolig 1909, ac nid oedd achub iddo. Rhybuddiwyd ei wraig gan y meddyg fod yr anochel yn ymyl, a chysylltwyd â'r plant a'u cymell i ddod yn ôl i'r hen aelwyd. Aeth fy mam yno o Lanelli lle roedd hi newydd ymgartrefu. Trefnwyd i gael ffotograffydd i dynnu llun o'r teulu, a gwnaed hynny yn y lôn gefn a redai rhwng cefn y tŷ a'r gerddi. Bu farw Thomas Griffiths 18 Ionawr, 1910 a'i gladdu ym mynwent Treorci 24 Ionawr. Bu Sarah ei wraig fyw am bymtheng mlynedd ar ei ôl. Bu hi farw 17 Hydref, 1925 a'i chladdu yn yr un bedd 22 Hydref. Aeth fy nhad a mam a'r teulu i gyd i'r angladd o Geinewydd. Roeddwn yn ddeg oed ar y pryd. Rwy'n cofio'r cynhebrwng yn codi o'r tŷ, ond dim byd arall. Mae'n debyg na chymerwyd fi na neb o'r wyrion bach i'r fynwent.

Enw fy hen fam-gu, mam Sarah, oedd Ann Butler. Cedwid ei llun yn ofalus gan fy mam yn ei hystafell wely, a byddai yn ei ddangos i ni yn awr ac yn y man gan roi ar ddeall i ni, y plant, ei bod yn fenyw arbennig iawn. Roedd hi, yn ôl a glywais ar yr aelwyd, o deulu bonheddig, neu, a defnyddio'r ymadrodd a glywais gan

Syr Ben Bowen Thomas pan soniodd gyntaf wrthyf amdani, o dras fonheddig. Fe'i ganed ym Mhant-y-fid (Pantyfi yn ôl y cofrestri plwyf) yn Llandyfodwg, Glynogwr neu Cwm Ogwr Fach rhwng Tonyrefail a Melin Ifan Ddu. Dengys cofrestri plwyf Llandyfodwg nad oedd neb o'r enw Butler wedi bod yn trigo yn y plwyf nes i Thomas Butler, ŵyr i'r Parch Arnold Butler, rheithor y Drefnewydd yn Notais, Bro Morgannwg, a disgynnydd i Fwtleriaid Dwnrefn ymsefydlu'n ficer yn y plwyf. Penodwyd ef, (yn ôl MS 1.627 Llyfrgell Ganolog Caerdydd), 5 Hydref, 1693 wedi marwolaeth y cyn ficer, Morgan Cradock, ar gymeradwyaeth noddwr y plwyf sef Anne Carne o Ewenny. Awgryma Foster, *Alumni Oxonienses*, mai ef oedd y Thomas Butler a hanai o Saint y Brid, Bro Morgannwg ac a fu'n fyfyriwr yng Ngholeg Merton ym 1677, lle y graddiodd. O leiaf ceir y llythrennau A.M. ar ôl ei enw mewn cofeb i'w fab, yn eglwys Llandyfodwg. Ceir ei enw yn *Llandaf, Institutions and Ordinations* (t.2) fel un a gymerodd lw ei fod yn derbyn bannau'r Ffydd a'r llw o deyrngarwch i'r brenin ac yn cydnabod nad oedd yn y Llyfr Gweddi unrhyw beth a oedd yn groes i'r Ysgrythur, a chofnodir yn Lladin ei urddo 20 Hydref, 1793 gan 'Reverend Patrem Guilielm'. Roedd ef eisoes yn cael ei ddisgrifio fel offeiriad *(clerk)* a wasanaethai yn Llangrallo (Coety) (LL/P/143P; LL/B/143.9). Ceir llofnod Thomas Butler yng Nghofrestri'r Plwyf i fyny at 1733. Dilynwyd ef i'r fywoliaeth gan Thomas Turberville ym 1734.

Priododd un o'i feibion, Watkin â merch o'r ardal, sef Mary Lucas, Dolau Ifan Ddu. Claddwyd ef yn Eglwys Llandyfodwg yn 72 oed ym 1774. Priododd mab arall,

Richard, â Jane Morgan o'r ardal ym 1732. Bu ef yn warden yr eglwys. Brithir y gofrestr gan eu disgynyddion. Ganed mab iddynt, sef Richard ym 1745. Plentyn iddo ef a'i wraig, Mary, oedd William a aned ym 1775 ac a briododd ag Anne John ym 1805. Y rhain oedd tad a mam fy hen fam-gu. Bedyddiwyd mab iddynt, William 11 Mai, 1806, ail fab, Thomas, 28 Mawrth, 1807, merch, Martha 12 Tachwedd, 1809, trydydd mab 12 Mai, 1811, ac ail ferch o'r enw Mary, 12 Tachwedd, 1813 a'r drydedd, Ann. Dyma'r cofnod am fedyddio Ann, fy hen fam-gu:

1817
Sept 7. Ann daut. of Wm & Ann Butler, Pantyfi, Mason

Ganed i Mary blentyn y tu allan i briodas 15 Tachwedd, 1835. Enw'r tad oedd Howell Samuel, saer-coed yng Nglyn-llan. Bedyddiwyd ef yn eglwys Llandyfodwg a'i alw Howell. Wedi iddynt briodi aethant i fyw i Bantyfi lle y ganed iddynt ferch o'r enw Catherine. Symudodd y teulu i weithio i Bwll y Cymer ac aeth Howell, y mab, i America ac arhosodd yn hen lanc. Roedd fy ewythr, Dafydd Samuel (Dai Sam), gŵr Sarah Ann, chwaer fy mam, yn hanu o'r teulu. Aeth mab arall i Howell a Mary, Samuel, i America ond fe ddychwelodd.

Yn ôl T. J. Hopkins, Cyn-geidwad y Llawysgrifau yn Llyfrgell Ganolog Caerdydd, roedd Bwtleriaid a Hopkiniaid Llandyfodwg yn perthyn i'w gilydd trwy briodas. Ond yr unig gofnod a welais yng Nghofrestr yr eglwys sy'n awgrymu hyn yw'r cyfeiriad at fedyddio plentyn llwyn a pherth arall o'r enw Richard, sef mab Lewis Hopkin a Mary Butler ym 1808.

Pa faint fwy o berthynas gwaed a oedd, nis gwn, ond fe wn y bu dylanwad un o hynafiaid y plentyn hwn, sef Lewis Hopcyn, y bardd a'r anghydffurfiwr (1708-71) yn drwm iawn ar y Bwtleriaid ganrif yn gynharach. Roedd, fel y dywed G. J. Williams, 'o hil Hopcyn Tomas Phylip, y cwndidwr o Gelli'r-fid', y fferm nesaf at Pant-y-fid. (*Traddodiad Llenyddol Morgannwg*, t.231). Trigai yn Hendre Ifan Goch ac arferai bregethu i gynulleidfaoedd yn ysgubor ei fferm. Priododd ferch o deulu o Grynwyr ac ymaelododd yng Nghapel yr Annibynwyr Cymer, a sefydlwyd tua 1738 gan Henry Davies o Flaen-gwrach, yr achos Annibynnol cyntaf i'w sefydlu yn y Rhondda. Bu Henry Davies yn gweinidogaethu yno tan ei farwolaeth ym 1766. Dangoswyd i mi ei gopi personol o'r Testament Newydd gan ddisgynnydd iddo, Mrs Arthur J. Williams, yn y Bryn-glas, Y Porth.

Roedd anghydffurfiaeth, mae'n amlwg, ar gynnydd yn y plwyf yn nechrau'r ddeunawfed ganrif, ac nid yn Llandyfodwg yn unig ond hefyd yn y plwyf nesaf, sef Llangeinor, lle y ganed Richard Price (1723-1791), awdur llyfrau ar athroniaeth foesol ac ymladdwr dros ryddid crefyddol, mewn ffermdy o'r enw Tyn-ton, yn fab i Rice Price, gweinidog ymneilltuol ym Mryn-llywarch. Yn *Limbus Patrum* (t.236) rhoddir hanes achos a dducpwyd gerbron y *Court of Exchequer* gan Thomas Butler, yr offeiriad, yn cyhuddo ffermwr o'r enw Morgan Hopkin o Landyfodwg am iddo wrthod talu'r degwm ('*hay, calves, sheep, lambs, wool & milk to be paid in kind*') iddo am wyth mlynedd, o 1711 hyd 1719.

Dechreuwyd agor lefelau a phyllau yng Nghwm Rhondda ym 1809 gan Walter Coffin. Agorodd ddau arall, y naill ym 1812 (*Dinas Lower Colliery*) a'r llall ym 1813 (*Dinas Middle Colliery*). Bu ffrwydradau yn y ddau le ym 1836, 1839, 1844 a 1850. Ym 1825, gwnaed cytundeb rhwng Walter Coffin a Morgan David o Lantrisant ynglŷn â darn o dir yn Gwaunadda, y Dinas. Arwyddwyd y cytundeb yng ngŵydd Evan Thomas, Pant-y-fid, Llandyfodwg. (*Indenture*, Llyfrgell Bwrdeistref y Rhondda, Pentre). Gwnaed ail gytundeb ym 1840 rhwng yr un rhai parthed tir Storws, '*that piece of ground, cottage and garden situated above the Storehouse level called Pwll lying between the Storehouse and Gwainadda and adjoining the Garden of the Storehouse houses.*'

Yn ôl *Register of Voters, Llantrisaint, Miskin Hundred, 1840 a 1843* perchennog y tŷ a'r ardd y cyfeirir atynt yn y ddogfen oedd Benjamin Rees. Roedd ef y flwyddyn gynt, 13 Mai, 1839 wedi priodi â'm hen fam-gu, Anne Butler. Roedd hi a'r teulu wedi symud o Pant-y-fid, Llandyfodwg gan fyw yn Hafod-fach. Yn wir, yn ôl Cyfrifiad 1841 nid oedd yr un Butler ym Mhant-y-fid, ond bu cynnydd mawr yn nifer y Bwtleriaid yn ardal y Dinas ac yng Nghapel y Cymer. Euthum ar sgawt i Bant-y-fid ym 1962 a chael bod y clwstwr o wyth o dai a elwid Pant-y-fid yn adfeilion. Rwy'n cofio sgwrsio â Mr James, ffermwr praff ei Gymraeg o Gilfach Orfydd, fferm gyfagos am y Bwtleriaid, ond roedd cof yr ardal amdanynt wedi hen ddiflannu.

Hanai Benjamin Rees, neu Benjamin (Siôn) Rhys, yn ôl Cyfrifiad 1851, o Eglwysilan. Hyd y gellid casglu ef oedd Benjamin, mab Rachel Powell, Pwll-pant, Energlyn a fedyddiwyd 19 Chwefror, 1815 yn Eglwysilan yn fab i John Rees (yn ôl ei dystysgrif priodi).

Arferid enwau eraill am y Storws sef Pren Afalau a Phentrebrodyr. Honnai Owa John, brawd fy mam, i'r lle gael yr enw Pentrebrodyr am fod Benjamin Rees a'i ddau frawd wedi codi tai ar lecyn rhwng Pren Afalau a Hen Felin y Dinas. Yn ôl *Register of Voters, County of Glamorgan* a welais yn Neuadd y Sir, Caerdydd, trigai Benjamin Rees yn 'Storehouse, Dinas' o 1840 hyd 1855. Cofnodir hefyd ei fod yn rhydd-ddeiliad a'i fod yn gweithio yn *Dinas Colliery*. Dywedir ymhellach yn Cyfrifiad 1841 ei fod y flwyddyn honno yn 25 mlwydd oed, ac yn briod ag Ann (20 oed). Cadwent un *lodger*, sef Shadrach Butler. Yn ystod y deng mlynedd nesaf, yn ôl Cyfrifiad 1851, ganed iddynt bedwar o blant, Sarah (fy mam-gu), Mary, John a Richard. Cofnodir hefyd eu bod yn cadw un *lodger*, sef cefnder i Ann Butler o'r enw Howell Samuel. Ym 1853 ganed merch arall o'r enw Ann, ac erbyn y flwyddyn honno buasai cryn ad-drefnu ar y tai a'r strydoedd, ac roedd ei dŷ wedi cael enw newydd, sef rhif 158 Graig Ddu Cottages.

Erbyn 1851 roedd lefelau eraill wedi'u hagor, sef *South Cymer Level* ym 1841 gan y perchennog Richard Lewis, a dwy gan J. H. Insole, sef y *Cymer Level* a'r *Cymer Colliery*. Yn ystod y Pumdegau gweithiai Benjamin Rees i George Insole a'i fab, Caerdydd ym Mhwll y Cymer. Bu ffrwydrad erchyll yn y pwll hwnnw fore dydd Mawrth 15 Gorffennaf, 1856 a lladdwyd 114 o'r 156 o weithwyr a oedd yn y pwll ar y pryd, yn cynnwys Benjamin Rees. Yn yr adroddiad a ymddangosodd yn fuan wedyn yn *Y Diwygiwr*, cylchgrawn radicalaidd David Rees, Capel Als, Llanelli, rhoddir rhestr gyflawn o'r rhai a laddwyd, ac enw Benjamin Rees a ddaw gyntaf ynddi. Roedd yn 42 oed. Meddir yn *Eglwys Annibynnol y Cymer, Braslun o'r Hanes*, t.19:

> Y dydd Iau canlynol claddwyd y rhan fwyaf ohonynt. Yr oedd dim llai nag ugain i ddeg ar hugain o feddau yn agored yr un pryd ym mynwent Capel y Cymer, a mwy nag un yn cael eu claddu ym mhob bedd.

Gadawyd 35 o weddwon a 92 o blant yn amddifad. Mae'r fynwent ar draws y ffordd i'r Capel, ac yno gellir gweld wrth y wal sy'n cynnal y ffordd fawr garreg-fedd Benjamin Rees o hyd ac arni yr englyn:

> Trwm foreu syn a gefais, o'm hingoedd
> Trwy angau diengais;
> Llon afael gyflawn a ges
> Ar wlad yr hedd. Duw a'i rhoes.

Cedwir yng Nghapel y Cymer lyfryn yn dwyn y teitl 'Cyfrifon y Gladdfa'. Gyferbyn â rhif 417 ceir yr enw 'Benjamin Shon Rees, Glowr, Dinas' a nodiad yn tystio bod ei fab, John Rees wedi talu £1 o flaendal am y bedd a bod 'Llog y Bunt a dalwyd yn clirio y ground (rent) ar y Bedd hyn Dros Byth, Freehold Ground.'

Mis yn ddiweddarach cynhaliwyd cwest yn Nhafarn Tynewydd gerbron George Overton, Ysw, crwner a deunaw rheithor. Cafwyd hefyd adroddiad gan Herbert Mackworth, Arolygydd Pyllau Glo ei Mawrhydi i'r perwyl:

It would appear that the fireman in making his examination in the morning before the men went to work discovered the presence of gas in David Morgan's stall, but did not report it to the manager . . . The explosion . . . had resulted in the sacrifice of human life to an extent unparalleled in the history of coal mining in this country . . . It is with regret and pain I have to report that this sad event caused the death of 114 fellow creatures. *(G.J.B. 360)*,

Y drychineb hon oedd penllanw diniweidrwydd a diymadferthedd y werin ddwad yn y Rhondda. Dyma'r werin a fuasai'n gynharach yn eu cynefin yng nghefngwlad yn ymgodymu â thlodi bellach oddi ar eu dyfodiad cyntaf i'r Rhondda wedi dod yn ysglyfaeth i berchnogion a chyfalafwyr trachwantus y cyfnod. Roedd mab i Henry Davies, sefydlydd Capel y Cymer, sef H. N. Davies, yn feddyg yn y Cymer tua'r cyfnod yma. Yn yr eisteddfod a ddilynodd yr orsedd gyntaf a gynhaliwyd gan Myfyr Morganwg ar y Maen Chwŷf ym Mhontypridd ym 1850, gosodwyd cystadleuaeth 'Mawlgerdd i H. N. Davies, Meddyg, Dinas'.

Ailbriododd Anne Rees â glöwr o'r enw David Gwynne, a bu iddynt un plentyn, Jane. Bu David farw o'r rhwym ymhen blwyddyn wedi'r briodas, a bedyddiwyd Jane ar arch ei thad. Fe'i claddwyd ef ym mynwent Capel y Cymer. Cofnodir yn 'Perchnogion y Beddau' (Mynwent y Cymer), fod gan y teulu fedd arall yn y fynwent:

David & Ann Gwynn, Glowr, Hafod, Dinas gynt.

Yn ôl Cyfrifiad 1861 daliai Ann Gwynn, a hithau'n weddw am yr ail waith, i fyw yn y Dinas *(Dinas Lower)*.

Roedd hi'n 42 oed a'r plentyn o'r ail briodas yn 2 oed. Erbyn Cyfrifiad 1871 roedd Ann Gwynn a'r ddau fab, John a Richard, wedi symud i Drehafod. Symudodd Ann ei thocyn aelodaeth o Gapel y Cymer i gangen yr achos yng nghapel Bethel, Hafod a agorwyd ym 1863 gan D. Price, Aberdâr a Henry Oliver, Pontypridd. Cafodd Ann, ei merch o'r gŵr cyntaf, blentyn siawns a'i alw Christmas Benjamin Rees. Ymunodd Christmas â'r Crynwyr ac adroddid ei fod yn 'gyfarwydd iawn' â'i Feibl. Yn ddiweddarach fe briododd Ann ag Elias Jones, tipyn o rigymwr, glanhawr simneiau ac adeiladwr tai Cadwgan Street, Trehafod. Aeth ei hanner chwaer, Jane, i fyw at ei chwaer hynaf, Sarah, fy mam-gu, yn Sir David's Place, Llantrisant. Disgrifir hi yn y Cyfrifiad am y flwyddyn honno fel *servant* yn y teulu. Aeth Mary, chwaer mam-gu, yn forwyn i Henry Thomas, Rheolwr Pwll Ynys-hir. Priododd â John Thomas, y mab, a oedd bymtheng mlynedd yn hŷn na hi, ac a ddaeth wedyn yn *Traffic manager* ym Mhwll Glo Trevor & Burtie, Hafod. Gelwid ef gan y gweithwyr 'John Trot'. Trigent yn 145 Trehafod Road, Trehafod.

Priododd John â Susannah Herbert. Bu ef farw yn ddi-blant 20 Hydref 1914 a gadawodd ddau dŷ i'w hanner chwaer, Jane, a oedd bellach yn briod â Noah Stephens, Ysgrifennydd Seion, Pontypridd. Plentyn iddynt oedd Edgar Stephens, swyddog yn adran addysg Cyngor Dinas Caerdydd. Hen lanc oedd y mab arall, Richard. Prynodd dŷ i'w fam, sef 19 Morgannwg Street, Hafod, ac yno y bu hi farw yn 73 oed, 18 Chwefror 1892. Huriodd fy nhad-cu, Thomas Griffiths, goets fawr i gario'i deulu o Droedyrhiw Terrace, Treorci i'r cynhebrwng yng Nghapel y Cymer. Gwnaeth Richard ei gartref yn Gwynfryn, 39 Lanelay Terrace, Pontypridd. Prynodd nifer o dai yn y dref a chodi White Palace, Pontypridd. Ffurfiodd hefyd gwmni i godi'r Paladium. Bu farw 17 Mai, 1927 yn 77 oed a'i gladdu yn yr un bedd ag un ei frawd, John a'i wraig Susannah, ym mynwent Glyn-taf. Yn ôl y cofnod ar ei garreg fedd, buasai am saith mlynedd ar hugain yn aelod o Fwrdd Claddu Pontypridd. Ni adawodd unrhyw ewyllys, a rhannwyd yr eiddo rhwng disgynyddion ei dair chwaer, sef Sarah (fy mam-gu), Mary ac Ann, ac roedd fy mam yn un o'r disgynyddion hynny.

Fy nheulu o ochr fy nhad

Ganed fy nhad, Thomas Bowen, mab ieuengaf Thomas
Bowen a Dinah Davies yn 28 High Street, Treorci. Mae
darn o fynor ar wal y tŷ yn dynodi mai yno y ganed Ben
Bowen, y bardd, brawd 'nhad. Dadorchuddiwyd y
maen 28 Gorffennaf 1926 gan W. P. Thomas,
Cadeirydd Pwyllgor Gwaith Eisteddfod Genedlaethol
Treorci 1928. Mae'r tŷ wedi newid ei wedd bellach.
Siop ydoedd yn wreiddiol ac fe'i cedwid gan Dinah
wedi i'w gŵr gael trawiad o'r parlys. Ond nid yn
Nhreorci y dechreuodd fy nhad-cu a'm mam-gu o du fy
nhad eu bywyd priodasol.

Ganed fy nhad-cu yn y Fagwyr, y Pwll, Llanelli, 20
Mawrth, 1832 yn fab i Thomas (g.1801) a Margaret
Bowen. Enw ar glwt o dir yng Nghwm Pant ar lan yr
afon 'Shaggog' yng nghyfeiriad Cilymaen-llwyd i'r
gogledd o eglwys y Pwll yw Y Fagwyr bellach. Ond mae
yno olion sylfeini tai a hen bwll glo. Cyfeirir ato yn
nogfennau Muddlescombe, Ll.G.C.: '1625 (dyddiad)
Vagowr David Bowen', ac yn y *Colby Estate Maps*
c. 1770. Ni wn a oes arwyddocâd teuluol i'r enw David
Bowen yn y cofnod.

Clement oedd cyfenw Margaret cyn iddi briodi, a
chyfeirir ati fel un o aelodau cyntaf Bethlehem, Capel y
Bedyddwyr, Y Pwll, lle y bedyddiwyd hi ym 1828, a
hithau'n wraig ifanc. Priodwyd hwynt 7 Rhagfyr 1821,
ac yn ôl Cyfrifiadau 1841 a 1851 roedd iddynt chwech
o blant. Yn y Felin-foel y ganed pob un ohonynt ond

Thomas, fy nhad-cu. Priododd ei frawd hynaf, William (g.1822) *'as a minor,'* â Margaret, *'of full age'*, merch David Powell, 10 Mehefin 1842 yn eglwys y plwyf Penbre. Ganed Margaret, (Peggy Jones yn ddiweddarach) ym 1818 a bu hi farw 1868. Roedd ganddi ferch o'r un enw a briododd â William Rowlands of Flaengwynfi, a bu iddynt wyth o blant. Plant eraill Thomas Bowen a Margaret Clement oedd Elizabeth (g.1832, m.1896), Anne (g.1837, m.1858), Frances (g.1838, m.1876) a Thomas (fy nhad-cu). Ganed dwy ferch arall i'r briodas, sef Mary a fu farw'n faban, a Sarah. Yr unig gofnod amdani hi ydyw iddi gael ei bedyddio yn ferch ifanc yn Adulam, Capel y Bedyddwyr, Y Felin-foel, Llanelli ac iddi farw yn ddeunaw oed ym 1838. Roedd Thomas, fy hen dad-cu, yn fab i Thomas Bowen ac Ann Bassett a briododd 27 Gorffennaf, 1790 yn Eglwys y Plwyf Llanelli.

Mewn llythyr at fy ewythr, Dafydd Bowen (*Myfyr Hefin*), mynnai D. E. Jenkins, awdur y gyfrol *Thomas Charles* (o'r Bala) fod Boweniaid y Felin-foel o'r un llinach â Jael Bowen, Pibwr Lwyd, mam Thomas Charles, ond nid oedd fy ewythr, er dygn ymchwilio, wedi llwyddo i gael cadarnhad o hyn.

Cyfeiria Ben Bowen yn un o'i gerddi at yrfa ei dad:

> Rwy'n gweld ei fywyd ar eu hyd—
> Y Pwll, Y Felin-foel a'r Bryn,
> Ac yma. Pwy all ddweyd mor glyd
> Y llanwai ef ei gartref gwyn.

> (Fy Nhad, *Cofiant*, t. 38-43)

Symudodd Thomas a Margaret, fy hen dad-cu a'm hen fam-gu, a'r teulu ac eithrio William, sef tad-cu

Ethyn, gwraig yr Athro Melville Richards, a hen dad-cu yr Athro David Quentin Bowen, Coleg y Brifysgol, Aberystwyth, i Fryntroedcam, Port Talbot, rywbryd rhwng 1835 a 1849 gan wneud eu cartref yn ôl Cyfrifiad 1851 yn 12 Bwlch Row. Roedd fy nhad-cu ar y pryd yn 17 oed, 'unmarried' ac yn 'collier' yn gweithio gyda'i dad a'i frodyr ym Mhwll y Slant yn y Bryn. Bedyddiwyd ef gan Dr Rowland, Cwmafon. Dywedir bod a wnelai ei rieni â sefydlu achos y Bedyddwyr yn y Bryn. Bu Thomas y tad farw ym 1853 yn 57 oed a Margaret yn 49 oed ym 1851, ac fe'u claddwyd ym mynwent Capel y Groes, Port Talbot.

Ym 1863 priododd Frances, y drydedd ferch, â Jonah Evans (1818-1896) a oedd wedi'i eni yn Llannewydd, Caerfyrddin, yn fab i John Evans ac Ester Evans (neé Williams o Lanelli) ac a oedd wedi symud i Fryntroedcam ym 1854. Yn ôl tystysgrif eu priodi roedd y ddau yn anllythrennog, ac, yn ôl tystiolaeth arall, roedd Jonah yn brin ei Saesneg. Symudodd y ddau i Aberdâr. Yno daethant o dan ddylanwad y cenhadon Mormonaidd, er y gallent fod wedi dechrau ymgysylltu â nhw yn gynharach, oherwydd fe wyddys fod cenhadaeth Formonaidd yng Nghwmbychan, Cwmafan, ac ym Mryntroedcam fel yr oedd ym Merthyr a llawer o ardaloedd eraill yn ne Cymru. Beth bynnag cafodd y ddau eu darbwyllo i ymfudo i Ddinas y Llyn Halen, i'r 'Gaersalem Newydd' ym mherfeddion gogledd America.

Ar y 4 o Fehefin 1863 hwyliasant ar y llong *Amazon* o Tilbury. Roedd 895 o deithwyr neu 'saint' ar y bwrdd, 119 ohonynt yn Gymry, a chyrraedd Efrog Newydd 11

Gorffennaf. Cost y daith i Jonah a'i wraig a'r unig fab, Thomas, oedd £11.6.0. Talwyd gweddill y gost gan Gronfa'r Mormoniaid, 'The East Glamorgan Conference Account'. Meddir yn yr *Emigration Records* a gedwir gan y Mormoniaid yn Ninas y Llyn Halen yn Utah:

> The Welsh passengers included a brass band from South Wales and also members of a choir on the way to Zion, and they discoursed sweet music on the poop deck as the ship was departing the dock and sailed down the River Thames.

Roedd yr £11.6.0 yn ddigon i gludo'r teulu cyn belled ag Efrog Newydd ac oddi yno i Florence (Omaha yn awr), Nebraska. Wedi cyrraedd yno teithiasant mewn gwagenni, 75 ohonynt, a elwid 'The Capt Daniel D. McArthur's Train', bob cam i Ddinas yr Halen. Wedi cyrraedd gwnaeth y teulu eu cartref yn Brigham City. Bu farw Frances 17 Rhagfyr 1876, a symudodd Jonah, wedi iddo ailbriodi, i Samaria ym 1880. Yr un flwyddyn penodwyd ef yn 'Bishop of Samaria Ward'. Bu farw 22 Ionawr 1897. Bu iddo dair gwraig, un ar y tro fel yr oedd yr arfer ymysg Cymry'r Ddinas yn ôl yr hanes, a chafodd ugain o blant. Ymddangosodd coffâd iddo yn *Desert News Salt Lake City* 4 Chwefror 1897, lle y dywedir amdano:

> Brother Evans was a kind husband and a faithful Latter Day saint, firm in his religious convictions and willing to endure everything for the Gospel's sake.

Symudodd Thomas, fy nhad-cu, i'r Rhondda tua 1863 a phriodi â Margaret John gan fyw yn Rhif 32 Ton Pentre a oedd ar y pryd yn ddim byd mwy na chlwstwr o dai y tu ôl i Gapel Siloh. Ganed iddynt ddau fab, sef Thomas a Christopher. Ymaelododd fy nhad-cu yng

Nghapel y Bedyddwyr, Nebo, Ystrad, cynulliad o lai na chant a fugeiliwyd gan Benjamin Thomas (1838-1913), brodor o Clydau, Penfro a briododd â Gwenllian Williams yng nghapel Nebo 11 Gorffennaf 1864, a thrigo yn Heol-fach, Ystrad yn gymdogion i Thomas Griffiths, fy nhad-cu ar ochr fy mam. Bu i Benjamin Thomas a'i wraig ddeuddeg o blant. Un ohonynt oedd Jonathan Thomas (1871-1931), dyngarwr a diacon yn Nebo. Priododd ef â chwaer fy nhad, Ann, gan fyw yn 3 William Street. Ganed iddynt un plentyn ym 1899, sef Ben Bowen Thomas. Wedi codi capel Moriah, Pentre, symudodd fy nhad-cu, Thomas Bowen ei docyn aelodaeth yno. Bu farw Margaret, ei wraig, yn 25 oed.

Toc wedyn cyfarfu â Dinah Davies a drigai yn y Pentre. Roedd Dinah wedi rhoi genedigaeth i ddau o blant a hithau'n ddibriod, un a fu farw yn dri mis oed 3 Medi, 1868 a'i chladdu ym mynwent Bwlchnewydd, a Mary a aned ddwy flynedd yn ddiweddarach, sef 4 Mai 1870 yn y Pentre, Ystradyfodwg. Nid yw ei thystysgrif geni yn rhoi enw tad Mary, ac yng Nghyfrifiad 1881 ychwanegir y cyfenw 'Davies', sef cyfenw Dinah, ar ôl ei henw. Hanai Dinah o Fwlchnewydd, sir Gâr yn ferch i David a Mary Davies, Ffos-y-fron, tyddyn ar fferm Blaen-cwm, Llannewydd. Hanai Mary o Aber-nant, Tre-lech. Hi oedd yr ieuengaf o saith o blant, John, Elinor (bed.22 Ebrill, 1821), Benjamin (bed.24 Rhagfyr, 1826), Bridget (g.1827), Thomas (bed.7 Mawrth, 1834, m.16 Mai, 1860) Joseph (bed.14 Chwefror, 1837). Ganed Dinah ym 1840. Cofnodir bedyddio pob un ohonynt ac eithrio Dinah yn *Birth and Baptisms, Bwlchnewydd (Reel 11,*

Non Parochial Records, LL.G.C.). Roedd tad Dinah yn fab i John David a Phebe ei wraig, ac fe'i ganed 20 Tachwedd, 1791, yn Waungochen yn ymyl Pantycendy, Aber-nant. Ganed Phebe ym Mhont-y-twr, Tre-lech 1739 a'i chladdu ym mynwent Aber-nant ym 1837. Ganed Mary, mam Dinah yn Llannewydd ym 1791 yn blentyn i 'John a William, Blaen-y-coed', yn ôl yr hanes. Ceir enwau David Davies a'i wraig, Mary, yn rhestr aelodaeth Bwlchnewydd yn y blynyddoedd 1848 a 1851 a wnaed gan John Thomas 'Hanesydd yr Annibynwyr' a oedd yno'n weinidog rhwng 1842 a 1850. Roedd David Davies yn godwr canu yno yr adeg honno ac yn ystod tymor Michael D. Jones, mab Michael Jones o'r Bala, yn weinidog yno. Mae carreg fedd rhieni Dinah wrth borth y Capel ac arni nodir dyddiadau marwolaeth ei thad, sef 4 Awst, 1855 a'i mam 31 Gorffennaf, 1868. Nodir hefyd gladdu Mary, baban tri mis oed Dinah a fu farw 3 Medi 1868. Rhoddir i'r baban y cyfenw 'Jones'! Yn ôl Cyfrifiad 1851, y tad a'r fam, y ddwy ferch, Rachel a Dinah ynghyd ag wyres, o'r enw Anne Davies, un mis oed, oedd yr unig rai ar ôl yn Ffos-y-fron, ac erbyn 1861 roedd y teulu i gyd wedi symud oddi yno. Mae'n amlwg fod y teulu wedi chwalu wedi marw'r tad ym 1855. Yn wir, nid oes cyfeiriad o gwbl at y tyddyn yng Nghyfrifiad y flwyddyn honno.

Roedd gan Dinah, fy mam-gu, berthnasau, teulu-oedd yn dwyn y cyfenwau Davies a Poley, yn byw ym Môn-y-maen a'r Winch-wen, Llansamlet, ac yn ôl y cofrestrydd priodi roedd hi'n lletya yn y Lôn-las, (Birchgrove), Llansamlet adeg ei phriodi. Daeth

Thomas Bowen yn unswydd o Don Pentre i'r briodas a gynhaliwyd yn Swyddfa Cofrestri Castell-nedd 10 Hydref, 1870, sef saith mis wedi geni ei merch, Mary. Digon annelwig yw geiriau Myfyr Hefin yn ei ragymadrodd i *Cofiant Ben Bowen* ar y mater. Dyma a ddywed: 'Priododd (Dinah Davies) a Thomas Bowen, yntau yn ŵr gweddw a dau o blant ganddo, sef Thomas a Christopher; bu iddi hi naw o blant, sef Mary, Margaret, Ann, Dafydd, William, Rachel, Ben, Hannah a Thomas.' Torrodd Dinah a oedd yn 28 oed ar y pryd ei henw ar y dystysgrif, a dyna a ddisgwyliem, oherwydd fe fu, yn blentyn, yn ôl tystiolaeth Cyfrifiad 1851 yn mynychu rhyw ysgol yng nghyffiniau Bwlchnewydd. Roedd Thomas yn 35 oed. Croes a roddodd ef ar y dystysgrif, tystiolaeth nad oedd wedi cael unrhyw wersi mewn llythrennu. Un o dystion y briodas oedd Thomas Richard, Tŷ Capel y Cwm, sef gŵr Rachel, chwaer Dinah.

Ymhen blwyddyn a thri mis (20 Rhagfyr 1871) fe aned iddynt ferch, Margaret. Ganed iddynt dair merch arall a phedwar mab, Ann (sef mam Ben Bowen Thomas) 28 Mawrth, 1873, Dafydd (Myfyr Hefin) 20 Gorffennaf, 1874, William 21 Ionawr, 1876 (a fu farw 3 Ebrill yr un flwyddyn), Rachel 7 Chwefror, 1877, Benjamin (Ben Bowen) 19 Hydref, 1878, Hannah 18 Medi, 1880 (a fu farw'n faban) a Thomas (fy nhad) 7 Gorffennaf, 1882. Ar 3 Ebrill yr un flwyddyn bu farw Thomas, yr hanner brawd o'r wraig gyntaf, a dyna paham yr enwyd fy nhad yn Thomas.

Roedd y teulu yn byw yn 32 Pentre ym 1871 a chofnodir enwau tri o'r plant, Christopher, Thomas a

Mary. Priododd Christopher (a arddelai'r enw barddol Glowrfab) â Mabel Owen gan fyw yn Mathewstown, Penrhiwceibyr. Bu iddynt bedwar o blant, Idriswyn (m.21 Mawrth, 1934), David a drigai yn 44 Usk Road, Bargod, Euros Hefin (m.8 Rhagfyr, 1934) a Thomas a drigai yn Commercial Street, Tynte. Glöwr oedd Christopher ond arweiniai'r gân yng Nghapel y Bedyddwyr, Tynte ac yn niwedd ei oes ef oedd gofalwr Tabernacl, Ynys-boeth. Bu farw Mabel, ei wraig, ac ailbriododd Christopher â Barbara Gwen Davies, gweddw John Davies, gynt o Flaenau Ffestiniog, yn Eglwys yr Annibynwyr, Porth. Priododd Margaret â Charles Cross o'r Bryn, Port Talbot. Disgynnydd iddynt yw Mrs Enid Morris, Porthcawl.

Dechreuodd Thomas a Dinah eu bywyd priodasol yn Nhon Pentre, ond yn gynnar ym 1874 symudasant i 152 High Street, Ystradyfodwg a newidiwyd, wedi'r ad-drefnu, i 128 High Street, Treorci. Cawsai Thomas waith fel torrwr glo ym Mhwll Tynybedw gan Thomas Griffiths, y *manager* pen-pwll, tad fy mam. Roeddynt yn gyfeillion ac, yn ôl Bopa Jane, yn perthyn i'w gilydd o bell.

Wedi cyfnod o weithio ym Mhwll Tynybedw parlyswyd tad-cu ac ni fedrai weithio, ac fe agorodd siop yn ei dŷ. Ym Medi 1884, bu farw Dinah yn 45 mlwydd a 'nhad ar y pryd yn ddwyflwydd oed. Ymhen ychydig flynyddoedd ailddechreuodd tad-cu weithio yn y pwll a'i gynorthwyo gan Dafydd (Myfyr Hefin) ac yn ddiweddarach gan Ben Bowen. Ailbarlyswyd ef, a bu'n rhaid iddo werthu'r tŷ. Gwnaeth hyn i gefnder ei wraig, Benjamin Rees, a oedd newydd ddychwelyd o'r

Ariannin ym 1898 ac a oedd yn byw ar yr un aelwyd. Canodd Ben Bowen englyn iddo ar ei ddychweliad:

Uwch eigionau iach ganodd — o'r môr mawr
Mi wn Cymru welodd;
Yn ei ddiluw addolodd — ei Dduw'n llon,
A'r môr o gofion yng Nghymru gafodd.

Disgrifir ef fel 'ffrynd a pherthynas ein mam' a 'Samaritan i ninnau yn ein hymdrech am addysg'. (Gweler *Blagur Awen Ben Bowen*, Myfyr Hefin, t.7.)

Yr un flwyddyn, sef ym 1898 ar 6 Hydref, bu farw Thomas Bowen a'i gladdu gyda Dinah ym mynwent Treorci gan adael y teulu yng ngofal y ferch hynaf, Mary, a oedd ar y pryd heb gyrraedd ei dwy flwydd ar bymtheg.

Roedd Ben Bowen, yn Ebrill 1897 wedi rhoi'r gorau i weithio yn y pwll ac wedi cychwyn yn Ysgol y Bwrdd, Treorci. Yn ddiweddarach yr un flwyddyn dechreuodd fynychu Academi Pontypridd a'i wyneb ar y weinidogaeth. Urddwyd ef a'i frawd, Dafydd, yn feirdd yn Eisteddfod Casnewydd, 1897, i'w hadnabod yng ngorsedd wrth yr enwau Euros a Myfyr Hefin. Gobeithiai Ben ennill cymwysterau i gael ei dderbyn i Goleg y Brifysgol, Caerdydd, ond dioddefai o'r darfodedigaeth, ac yn ystod ymweliad â chartref cyfaill iddo, sef y Parch E. K. Jones, Tabernacl, Brymbo, yng Ngorffennaf, 1899 fe dorrodd ei waed am y tro cyntaf.

Erbyn troad y flwyddyn roedd plant Thomas a Dinah Bowen wedi eu chwalu. Y merched a'r bechgyn i gyd yn briod. Roedd Mary wedi priodi â James Thomas ac yn byw yn 6 Victoria Street, Ton Pentre. Ar yr aelwyd hon, yn orweiddiog yn ei wely gan amlaf, yn Hydref 1899 y gorffennodd Ben Bowen ei bryddest 'Pantycelyn' y daeth yn ail arni am y Goron yn Eisteddfod Lerpwl, 1900. Bu ar daith i Dde Affrica am ddau fis ar bymtheg i geisio adferiad, ond i ddim pwrpas. Ysgrifennodd erthygl i'r *Geninen*, Ebrill 1902 yn 'torri dan seiliau un o'r pethau mwyaf cysegredig a feddai enwad y Bedyddwyr yng Nghymru — Y Cymundeb Caeth'. O'r herwydd cafodd ei erlid yn y Wasg. Ac wedi iddo ddychwelyd i Don Pentre fe'i 'bwriwyd allan' o Moriah, Pentre lle'r oedd yn aelod. Cyhoeddwyd yn *Y Darian* ei fod, ac yntau yn Kimberley, Affrica, wedi 'mynychu hotels a billiard halls, ac o yfed Bass'. Meddir yn y *Cofiant* a olygwyd gan ei frawd, Dafydd (Myfyr Hefin):

> Teimlodd fod yn rhaid iddo amddiffyn ei gymeriad yn wyneb yr awgrym gwael ac, fel y gwelwyd, gosododd yr achos yn llaw cyfreithiwr er codi iawn am yr enllib honedig; ond gorfodwyd ef i roddi y cwbl i fyny gan rym gwendid corfforol.

Ymaelododd â'r Methodistiaid yng Nghapel Jerusalem, Ton Pentre. Aeth ati i gystadlu am y gadair yn Eisteddfod Genedlaethol, Bangor, 1902 ac Eisteddfod Genedlaethol Llanelli, 1903. Ychydig wedyn, 16 Awst, 1903, yn nhŷ ei chwaer, bu farw ac fe'i claddwyd ym medd ei rieni ym mynwent Treorci. Cymerwyd y rhannau arweiniol yn y gwasanaethau gan weinidogion Methodistaidd a siaradwyd gan Dyfnallt ac Edward Thomas (Cochfarf), Ceidwad y Cledd yng Ngorsedd y Beirdd. Roedd torch o flodau gan Ben Davies, y *Miners' Agent* ar ei arch.

Daliodd ei frawd, Dafydd, i weithio yn y pwll. Priododd â Hannah Jones o Dreorci, gan fyw yn 4

Hermon Street. Bu iddynt un plentyn, Myfanwy, a fu'n athrawes yn Ysgol Gymraeg Llanelli. Ym 1905 codwyd ef i bregethu o dan weinidogaeth Dr W. Morris, Noddfa Treorci. Mynychodd Ysgol Baratoi, Pontypridd, a bu am ychydig yn fyfyriwr yng Ngholeg Caerdydd ac yn Athrofa Duncan. Ordeiniwyd ef yn weinidog ym Methel, Capel Isaf, sir Frycheiniog, ac wedi gweinidogaethu yno am bedair blynedd a'i sefydlu ym 1913 yn weinidog Horeb Pum Heol, Llanelli, gwnaeth ei gartref yng Nghynheidre ac yna yn nhŷ'r gweinidog ym Mhum Heol. Buasai Hannah, ei wraig, farw yn y cyfamser ac ailbriododd Dafydd â Lizzie Bowen, Halfway, Llanelli, a bu iddo ddwy ferch o'r briodas hon, sef Rhiannon ac Enid, ill dwy yn eu tro yn athrawesau. Roedd Myfyr Hefin yn olygydd ac yn awdur toreithiog. Golygodd weithiau ei frawd, Ben Bowen, a chyhoeddodd nifer o gyfrolau o gerddi. Sefydlodd Urdd y Seren Fore a golygodd *Seren yr Ysgol Sul* am 32 o flynyddoedd.

Ein Teulu Ni

Ond roedd fy rhieni innau, Thomas ac Ada Bowen a'u tri mab, Thomas, Euros a Trefor wedi hen gartrefu yn Llanelli erbyn hyn. Dechreuodd fy nhad weithio ym Mhwll Tynybedw yn rhyw ddeuddeg oed, a bu wrth y gwaith am ryw ddeng mlynedd. Cyfarfu fy nhad a mam gyntaf ym marchnad Llanelli. Roeddynt ill dau yn blant yng nghwmni eu rhieni. Deuai Thomas Griffiths a Thomas Bowen yn flynyddol i ardal Llanelli, ardal eu mebyd, ar eu gwyliau. Arferai Thomas Griffiths a'i wraig deithio ar y trên, ond cerddai Thomas Bowen. Y tro hwn aeth â 'nhad gydag ef, cerdded dros y Bwlch i Abergwynfi a Bryntroetcam gan alw heibio i berthnasau ac yna ymlaen i Lanelli. Clywais fy nhad yn adrodd iddynt fynd am dro unwaith i'r Pwll a dangoswyd iddo'r lle y ganed ei dad. Fe alwodd ei dad mewn tŷ tafarn i dorri ei syched, ond torrodd fy nhad i mewn i berllan yn ymyl a dwyn ychydig o afalau.

Aeth fy nhad, fel Ben Bowen a Dafydd, i Ysgol y Bwrdd, Treorci. Gadawodd yn 12 oed a mynd i weithio ym Mhwll Tynybedw. Bedyddiwyd ef yn 17 oed yng Nghapel y Bedyddwyr, Ton Pentre ac wedi iddo briodi ag Ada, merch Thomas Griffiths, bu pwyso ar i Ada gael ei hailfedyddio, a dyna a fu. Bedyddiwyd mam yn Salem Porth. Yn fuan wedyn aeth hi'n ffrwgwd rhwng ei frawd, Ben Bowen, a'r Bedyddwyr ac fe benderfynodd fy nhad a mam symud eu tocyn aelodaeth i Hermon Treorci, achos gyda'r Annibynwyr, lle'r oedd mam-gu yn aelod. Ganed iddynt dri mab, Thomas, Euros a Trefor wedi iddynt symud o 29 Troedyrhiw Terrace i 111 High Street, Treorci. Tŷ newydd a godwyd gan dat-cu, Thomas Griffiths. Nid oedd iechyd fy nhad yn rhyw dda iawn. Yn wir, dioddefai drwy ei oes o ryw wendid yn y galon. Dan ddylanwad ei weinidog darbwyllwyd ef i fynd i'r weinidogaeth. Trefnodd ei dad-yng-nghyfraith i Ada a'r plant fyw yn Argyle Street, Pentre. Mynychodd fy nhad Ysgol Baratoi ym Mhontypridd, ac yn 1907 cafodd ei dderbyn i Goleg yr Annibynwyr, Aberhonddu. Rhestrir ef ym Mlwyddiadur yr Annibynwyr am y flwyddyn 1908 fel un o 'Myfyrwyr Lleyg' y Coleg.

Yn ôl Adroddiad 1901 y Coleg, gwŷr dibriod yn unig a dderbynnid i'r Coleg, ac mae'n amlwg iddynt wneud eithriad o 'nhad. Dyma a ddywedir:

Candidates for admission must be single men, whose piety and ministerial gifts are attested by the Pastor of the Church to which they belong and by at least two neighbouring ministers. Candidates are expected to be prepared to be examined in the following Books and subjects, Euclid, Book 1, Algebra (simple equations), Arithmetic, English History, General Geography, Translations from English to Welsh and vice versa with grammatical questions, Latin and Greek. The books required for matriculation of the University of Wales from year to year. Six months probation.

Yn ôl Adroddiad y Coleg am 1908-9 casglodd Thomas Bowen £32.4.7. at y Coleg. Buasai yn y *'Nongraduate Class'* ar hyd y flwyddyn a chafodd 49½% o farciau yn y *'Terminal and Sessional Examinations'*. Ar dudalen xxii o'r un adroddiad darllenwn: *'Thomas Bowen, Llanelly, minister educated in Brecon.'*

Symud i Lanelli

Cafodd fy nhad wahoddiad i weinidogaethu yn Ebenezer, Llanelli 14 Mawrth, 1909. Mae'r llythyr yn darllen fel hyn:

Eglwys Annibynol Ebenezer, Llanelli

At y brawd T. Bowen, Myfyriwr
yng Ngholeg Coffadwriaethol Aberhonddu,

Anwyl Gyfaill,

Wedi gwrando ar eich pregethau grymus, pan fuoch yn gwasanaethu, ac yn clywed yma a thraw am eich cymeriad glan a'ch rhagoriaeth fel disgybl a myfyriwr yn yr Athrofa, daethom i benderfyniad unfrydol mewn cyfarfod rheolaidd o'r Eglwys Sabboth, Mawrth y 14eg 1909, 'Ein bod fel Eglwys yn rhoddi i chwi wahoddiad cynnes ac unol i ddod attom i weinidogaethu ar yr amodau canlynol.

1. Eich bod i gael £9 yn y mis o gyflog, ac os cesglir dros £117 at y weinidogaeth mewn unrhyw flwyddyn, fod y swm a gesglir felly yn cael ei roddi i chwi ar ddiwedd y flwyddyn hono.

2. Fod mis o wyliau yn cael ei ganiatau i chwi a bod yr Eglwys yn dewis ac yn talu y supplies am y mis hwnw.

3. Bydd mis o rybudd yn ofynol cyn y gellir ymryddhau o'r ymrwymiad wneir mewn perthynas a'r alwad hon.'

Dianghenraid ydyw i ni (ar ol eich llythyr caredig) fynegi ein bod yn hyderu y bydd i chwi roddi ystyriaeth ffafriol i'r alwad hon, ac y bydd ein hundeb yn un dedwydd a hir ac o dan fendith yr Arglwydd.

Arwyddwyd dros ac yn enw yr Eglwys uchod.

Ordeiniwyd fy nhad yn weinidog Ebenezer, Capel yr Annibynwyr, Llanelli 19 Gorffennaf, 1909. Fel hyn y cofnodir yr achlysur yn y *Llanelly Mercury*, 22 Gorffennaf, 1909:

> The ordination of Mr. Thomas Bowen of Treorchy, as pastor of Ebenezer Chapel, took place on Monday, the Rev Thomas Johns, D.D. presiding. The Revs. W.T. Davies, D. Lewis (Dewi Medi), J. Evans, W. Charles, M.A. and Principal Lewis. Brecon College (where Mr. Bowen was formerly a student) took part.

Gwnaeth fy nhad a mam eu cartref yn 87 Marble Hall Road, Llanelli. Tŷ ar rent ydoedd, ond cawsant addewid gan Thomas Griffiths, tad-cu, y byddai ymhen y flwyddyn yn ymweld â nhw a phrynu tŷ iddynt yn Llanelli. Ond, ysywaeth fe fu farw ymhen chwe mis wedyn.

Gorffennaf 12, 1912 ganed fy chwaer Luned, a minnau y 10 Medi, 1915. Cychwynnais yn Ysgol y Babanod gyferbyn â marchnad Llanelli ym Medi 1919 a symudwyd dosbarth ohonom i Ysgol Stebonheath ym Medi 1920 i fod yn rhan o'r Ysgol Gymysg honno. Rwy'n cofio carfan ohonom yn gorymdeithio o Ysgol y Farchnad heibio i Gapel Als i fyny Marble Hall Road a heibio i'r Ysbyty i Ysgol Stebonheath. Ar 5 Medi, 1921 sefydlwyd Adran y Babanod ar wahân i'r Ysgol gyda phrifathrawes, sef Miss Frances Mary Thomas, a phedair athrawes. Ond erbyn hynny roeddem ni fel teulu wedi gadael Llanelli. Ni chlywais air o Gymraeg o enau'r un o athrawesau Ysgol y Farchnad nac Adran y Babanod Stebonheath. Yn yr ysgol Sul y dysgais yr Wyddor Gymraeg a darllen Cymraeg.

Rhoddai fy nhad bwys mawr ar hyfforddi yn yr ysgol Sul, yr unig fan iddo ef ei hunan gael rhyw fath o addysg yn yr iaith. Ym mis Gorffennaf, blwyddyn wedi iddo gael ei sefydlu cawn iddo ddarlithio yng Nghyfarfod Chwarterol yr Eglwys ar 'Yr Eglwys a'r Ysgol Sabbathol'. Yn yr adroddiad yn y *Llanelly Mercury*, (30.5.10) darllenwn: 'Yr oedd yr anerchiad yn llawn cymhellion ac yn llawn o wersi ac ychydig yn geryddol ar rai pwyntiau.' Cynhaliai hefyd gyfarfodydd cystadleuol yn yr eglwys yn gyson, a ffufiwyd grŵp offerynnol a glywid yn y gwasanaethau yn yr hwyr. Roedd fy mrawd, Thomas, yn un o'r offerynwyr.

Mabwysiadodd fy nhad yr enw barddol Orchwy, a chyhoeddodd gyfrol o delynegion, *Cwpanau'r Gwlith*, ym 1915. Dechreuodd gystadlu am gadeiriau mewn eisteddfodau a llwyddo. Dechreuodd gyhoeddi cerddi yn y cylchgrawn *Cymru* ym 1914, a bu, yn yr Ugeiniau, yn llywydd Cymmrodorion Llanelli a Llywydd Undeb Cymdeithasau Cymraeg Dwyrain Dyfed. Ei gyfaill pennaf oedd y Parch Gwylfa Roberts, gweinidog gyda'r Annibynwyr yn Llanelli, prifardd a Chofiadur yr Orsedd yn y Tridegau.

Cyn diwedd Rhyfel 1914-18, oherwydd dygn dlodi ac er gwaethaf gwendid yn y galon, bu fy nhad yn cadw ieir, codi tatws a llysiau mewn rhandir ac yn gweithio hefyd yng Ngwaith Powdwr, Pen-bre. Yno daeth yn gyfeillgar â Richard Hughes Williams (Dic Tryfan), y newyddiadurwr a'r awdur storïau byrion a oedd, fel rhan o'i orfodaeth filwrol, yn gweithio yn y ffatri. Bu'n rhaid i'r ddau fab hynaf, Thomas ac Euros, ymadael â'r ysgol a mynd i weithio hefyd, a ganed fy chwaer, Nesta 29 Tachwedd, 1918.

Nid wyf yn cofio fawr ddim am flynyddoedd y rhyfel, ond cofiaf weld *zeppelin* yn hedfan dros Lanelli ychydig wedi'r cadoediad, a thanc rhyfel yn dod i Barc Howard. Erys ar y cof ymhlith pethau eraill hefyd y tân mawr a fu yn Siop Pugh yng nghanol y dref, y teithio ar y tram gyda mam at hen bont bren afon Llwchwr a mynd i'r traeth ar lan yr afon, ymweliadau cyson â Swiss Valley a'r arswyd a ddaeth drosom un tro am fod 'nhad wedi anghofio dod â chyllell i dorri'r bara. Rwy'n cofio mynd i Gae Strade a chael, fel pob plentyn bach, fynediad am ddim. Mae'n rhaid fy mod wedi cael fy nghyffroi gan wres yr ysgarmesoedd, fel y cyffroir fi o hyd ganddynt, oherwydd wrth ymadael â'r maes fe lenwais fy nhrowsys. Ond croeso digerydd a gefais gan fy mam. Arferem fel plant ddwyn tato o'r gerddi a'u pobi mewn tanau bach o gols yn y *'back lanes'*. Arferem hefyd chwarae cynnal cyrddau gweddïo yng nghysgod y lamp nwy gyferbyn â'n tŷ ni, ac wrth ymadael â'r ysgol yn y pnawn byddem yn heidiau o grwts yn rhuthro drwy'r farchnad a phob un ohonom yn cipio losyn o'r cownteri wrth wibio heibio a'r fenyw fach y tu ôl i'r cownter yn gweiddi arnom, ond yn ofer.

Symud i Rydyceisiaid

Awst 1921 cafodd nhad ddwy alwad, y naill i Saron Trewilliam, Rhondda Fach, a'r llall i Eglwysi Annibynnol Rhydyceisiaid a Gibeon, San Clêr. Cafodd wybod gan gydbwyllgor o ddwy eglwys San Clêr eu bod yn bwriadu anfon galwad iddo 10 Awst, a chyn belled ag y gellir deall, fe drefnwyd i 'nhad gyfarfod â dirprwyaeth o'r eglwysi yng Nghaerfyrddin i drafod y telerau. Beth bynnag, derbyn yr alwad a wnaeth, a hawdd deall pam. Roedd un o'r eglwysi yn unig yn cynnig iddo gymaint ag roedd Ebenezer yn ei dalu, ac ar ben hynny roedd y tŷ yn ddi-rent. Dyma fel y mae'r alwad yn darllen:

Elgwysi Annibynnol Rhydyceisiaid a Gibeon.

At y Parch T. Orchwy Bowen, Ebenezer, Llanelli.

Awst 15, 1921.

Anwyl frawd.

Yr ydym fel eglwysi wedi cydsynio a'n gilydd i estyn gwahoddiad i chwi ddyfod i'n bugeilio, ac yr ydym wedi cytuno a'n gilydd y rhoddir i chwi ar y telerau a ganlyn:

— Gibeon yn addaw lleiafswm o £90 y flwyddyn.

— Rhydyceisiaid, Tŷ Bodathraw yn rhydd o ardreth ond disgwylir i chwi dalu'r trethi. Barnwyd mae gwell peidio nodir un swm cyflog yn wyneb sefyllfa'r eglwys ar hyn o bryd, ond yr ydym yn penderfynu gwneud ein goreu dan yr amgylchiadau, ac yr ydym yn addaw ail ystyried y telerau ar ddiwedd y flwyddyn.

Caniateir i chwi bedwar sul o wyliau yn ystod y flwyddyn, sef dau o bob eglwys.

Arwyddwyd dros yr eglwysi . . .

Yr wythnos gyntaf o Fedi roedd y teulu i gyd ac eithrio'r mab hynaf, Thomas, wedi symud i Rydyceisiaid. Teithiodd 'nhad a mam, Luned, Nesta fy chwaer fach a minnau ar y trên o Lanelli i San Clêr. Yn yr orsaf yno roedd ceffyl a thrap yng ngofal un o aelodau Rhydyceisiaid yn ein disgwyl, gŵr y daethom i'w adnabod wedyn fel Josi'r Aber. Annisgwyl a digri oedd rhan olaf y siwrne hon i ni'r plant lleiaf oherwydd bod y ceffyl yn colli gwynt yn gyson. Credaf i Euros a Trefor gerdded o San Clêr i Langynin. Arhosodd fy mrawd hynaf yn ôl yn ei waith yn Llanelli.

Ar 6 Hydref danfonodd Ysgrifennydd Ebenezer y llythyr canlynol at Eglwysi Rhydyceisiaid a Gibeon.

Annwyl Frodyr a Chwiorydd

Wrth ddanfon llythyrau y Parch. T. Orchwy Bowen a'i deulu i chwi, teimlwn rwymedigaeth i ddwyn gair o dystiolaeth i'w wasanaeth inni yn Ebenezer.

Daeth Mr Bowen atom yn ddyn ieuanc a llafuriodd yn onest a ffyddlon yn ein plith am dros ddeuddeng mlynedd. Yn ystod yr amser hwn cawsom gyfle i'w adnabod yn drwyadl, ac i farnu ei gymwysterau i'r weinidogaeth. A'n tystiolaeth yw ei fod yn wir ŵr Duw. Pleser digymysg i ni fu gwylio'i gynnydd fel pregethwr, a mwynhad yw gallu dywedyd iddo gadw urddas y pulpud yma mewn tref enwog am ei phregethwyr cryfion. Bu'n ddiwyd fel bugail, ac ymhlith y bobl ieuainc, ceid ef yn arweinydd ac yn gynghorwr diogel.

Y mae'n ymadael a'r eglwys a'i gymeriad fel dyn a dinesydd yn ddiystaen.

Afraid ychwanegu iddo gymryd diddordeb goleu gyda phob mudiad daionus yn y dref, a bydd ei le'n wag ar lawer pwyllgor.

Bu Mrs Bowen yn gynhorthwy dirfawr iddo yn ei weinidogaeth yma. Gwraig dawel yw hi, ac iddi air da gan bawb, a'i gwaith ymron o'r golwg — yn ei thŷ a'i theulu. Cyflwynwn Mr a Mrs Bowen a'u mab Euros i'ch gofal caredig, gyda dymuno pob bendith iddynt hwy ac i chwithau.

Yr eiddoch dros yr Eglwys,
G. E. Williams, Ysgrifennydd.

Roedd Bodathro yn dŷ sylweddol a phedair ystafell ar lawr a phedair yn y llofft. Roedd nifer o dai allan, perllan, tŷ bach yn yr ardd, ffwrn a ffynnon yng nghefn y tŷ.

Cofrestrwyd fi a'm chwaer, Luned, yn ddisgyblion yn Ysgol Elfennol Llangynin 20 Medi, 1921. Cerddem i'r ysgol yng nghwmni Stanley a Lilian Jones, Eithinduon, tyddyn digon tlodaidd ym min y ffordd gyferbyn â gweithdy'r saer a'r datgeiniad, Gwyn Pen-rhiw, a'i dad. Bu Stanley, yn y Tridegau, yn fyfyriwr disglair am y weinidogaeth yng Ngholeg y Brifysgol Caerdydd, ond bu farw o'r darfodedigaeth cyn gorffen ei gwrs. Yn yr ysgol hon y dysgais rifo o 1 i 10 yn Gymraeg, a byddaf yn dal i rifo o 1 i 10 yn Gymraeg, yna o hynny ymlaen, yn Saesneg, *eleven, twelve, thirteen,* a.y.y.b. Ni ddysgais erioed enwau dyddiau'r wythnos nac enwau'r misoedd a'r tymhorau yn eu trefn yn Gymraeg yn yr ysgolion y bûm i ynddynt.

Wedi ychydig o fisoedd yn ceisio gwneud ceiniog drwy ddal cwningod, dechreuodd Euros a Trefor fynychu Ysgol Sir Hendy-gwyn.

Safai Capel Rhydyceisiaid ar lechwedd ar y rhiw a arweiniai i Lanboidy. Roedd festri a stabal wedi'u hadeiladu yn glwm wrth yr adeilad gwreiddiol. Rwy'n cofio mynd i barti Nadolig a thaeru yno o flaen y gynulleidfa fechan i mi weld Siôn Corn yn dod i mewn i'm hystafell wely noson y Nadolig. I mi roedd y cyfnod byr a dreuliwyd yn Llangynin yn llawn rhamant. Ceisiais fynegi'r profiad mewn pwt o gywydd flynyddoedd wedyn:

O'i fodd fe hed ei feddwl
I'w ddoe pur o'i heddiw pŵl.
Hed i'w Ddyfed ddiofal
Yr awron â chalon chwâl.
Amled brithgofion pumlwydd
Yn codi yn rhesi rhwydd.
Gweld gwerin gwlad a garai
Ddiwedydd ym meysydd Mai,
Ebwch a gwich bachau gwair
Cynhaeaf yn cyniwair.
Aeddfed sawr y gwyddfid swil
Yno'n egino'n gynnil,
Pistyll brwd a'r brithyll braf
Acw'n nŵr Cynin araf,
Grwnan mud y graean mân
A thw eirlys ei thorlan.
Hel y llus a mefusa,
Herio dôl lle porai'r da,
Miragl tymor mwyara
A'i gyfaredd ddiwedd ha'.
Y llun oedd i'r berllan wen
A lloer fwll ar afallen,
Y lôn hir yn lein arian
I Ffynnon-lwyd a Phen-lan,
Golau pell, aroglau pîn
Yn y cwm yn nhŷ'r cymun.

Rwy'n cofio Elfed Lewis, Gweinidog King's Cross, Llundain, a etholwyd yn Archdderwydd ym 1923, yn dod i Rydyceisiaid i un o'r cyrddau mawr ac yn lletya gyda ni ym Modathro, a Brynallt, cyfaill i 'nhad o ddyddiau Llanelli a thrysorydd yr Orsedd ac yn ddiweddarach trysorydd yr Eisteddfod Genedlaethol, yn ymweld â ni adeg Eisteddfod Llangynin pryd yr enillodd fy nhad y gadair am bryddest, y gerdd deipiedig gyntaf iddo anfon i mewn i unrhyw gystadleuaeth. Roedd newydd brynu teipiadur, *Remington*, sydd bellach yn un o'm trysorau teuluol i.

Ond, ysywaeth, roedd yn yr ardal gryn wrthdaro rhwng teuluoedd, hen *feuds* yn brigo i'r wyneb, a gwae 'nhad pe bai yn cyfeillachu yn rhy agos ag aelod o un garfan yn fwy na'r llall. Digwyddodd unwaith iddo ganiatáu i aelod o un garfan gadw ei geffyl yn stabl Bodathro dros amser un cyfarfod pregethu. Yn ystod y gwasanaeth torrodd rhywun i mewn i'r stabl, rhyddhau'r ceffyl a'i dywys i'r buarth. Yno roedd hen ffynnon ddofn wedi'i chau drosti â darnau o *zinc sheeting*. Cafwyd drannoeth fod y darnau wedi'u plygu'n ddiwerth ac roedd olion carnau ceffyl yn amlwg drostynt. Roedd y ceffyl, er mwyn ei ddychryn, wedi'i dywys dros y darnau dro a thro. Fe gafwyd y ceffyl drannoeth yn rhydd ond mewn cyflwr brawychus yn un o'r caeau cyfagos.

Arferai fy nhad gerdded yr holl ffordd ac ymhob tywydd i'r gwasanaethau yng Nghapel Gibeon unwaith yn y mis, a byddai'r arian a gesglid ymhob gwasanaeth yn cael ei gyflwyno iddo fel rhan o'i gyflog. Un noson wrth ddychwelyd wedi'r gwasanaeth ymosodwyd arno a ducpwyd yr arian oddi arno. Unwaith yn unig yr aeth fy mam gydag ef ar y siwrnai, ac wrth ddychwelyd fe ymosodwyd ar y ddau, a bu fy nhad yn ymladd â'r ymosodwr.

Symud i Geinewydd

Pymtheng mis yn unig y buwyd yn byw yn Llangynin cyn i 'nhad gael galwad i Eglwys y Towyn, Ceinewydd, ac fe'i derbyniodd yn syth. Dyma eiriau'r alwad:

Eglwys Annibynol Towyn Ceinewydd at y Parch Orchwy Bowen, Rhydyceisiaid.

Annwyl Frawd.

Y mae yn hyfrydwch mawr gennym ni, y rhai sydd a'u henwau isod, ar ran Eglwys Gynulleidfaol Towyn, Ceinewydd estyn i chwi wahoddiad cynnes a galwad unfrydol i ddyfod i'm bugeilio yn yr Arglwydd. Ar ol y dealltwriaeth a gafodd y ddirprwyaeth gennych nos Sul Rhagfyr 31ain penderfynwyd gosod y mater gerbron yr aelodau mewn cyfarfod o'r eglwys nos Sul diweddaf, Ionawr 7fed, ac amlygwyd teimladau o undeb trwyadl a llawenydd pur trwy i bawb godi ar eu traed fel arwydd o'i cydsyniad.

Bydd y telerau fel y canlyn.

Y Gyflog — heb fod dan £210 yn flynyddol a'r gweddill a gyfrennir tuag at y weinidogaeth.

Tŷ y Gweinidog — sef Towynfa yn ddi-rent.

Gwyliau — pedwar Sul a thri Sul casgliad y colegau yn rhydd. Disgwylir i chwi fel gweinidog i fod gartref yn nhymor yr haf a Gwyliau Nadolig a'r Pasg pan y bydd lluaws o blant yr Eglwys ar ymweliad â'r lle. Gallwn eich sicrhau y cewch chwi a'r teulu groesaw cynnes a chalonogol ar eich dyfodiad i'n plith, a bydd gweddiau taerion yn cael eu hoffrymu ar eich rhan chwi a'r Eglwys am nodded ac amddiffyn yr Arglwydd drosom, gyda hyder cryf am lwyddiant ar eich gweinidogaeth trwy gydweithrediad aelodau yn gyffredinol.

Yr eiddoch yn rhwymau yr Efengyl, Arwyddwyd. Ionawr 9, 1923.

Addawyd hefyd mewn llythyr arall y byddid yn talu costau symud tŷ. Atebodd fy nhad ymhen deuddydd. Dyma'i lythyr dyddiedig 11 Ionawr, 1923:

At Eglwys Annibynnol Towyn, Ceinewydd.

Annwyl frodyr a chwiorydd,

Daeth eich galwad gynnes ac unfrydol i law yn ddiogel, ac y mae'n hyfrydwch i mi ei hateb yn y modd mwyaf cadarnhaol; a chredaf fy mod wrth wneud y gweithredu yn unol a meddwl ac ewyllys Duw.

Cyfaddefaf i chwi adael argraff ddymunol arnaf pan ymwelais â chwi y tro cyntaf, ac i'r argraff hwnnw fyned yn ddyfnach yn ystod fy ail ymweliad, a phan ymwelodd eich dirprwyaeth â mi, ni phetrusais o gwbl i ddatgan fy modlonrwydd i fugeilio Eglwys barchus ac urddasol y Towyn.

Gweddïaf am nodded Duw yn ystod fy ngweinidogaeth yn eich mysg, ac y bydd i mi a chwithau fyw yn ei gysgod holl ddyddiau ein hoes, fel y byddwn yn fendith i'n gilydd ac yn fawl i ogoniant ei ras Ef.

Yn gywir a ffyddlon, yn rhwymau'r Efengyl.

Daeth un o'r aelodau, Capten John Evans, yn ei gar, un o'r ychydig geir a oedd yn y Cei y pryd hynny, i nôl y teulu o Fodathro. Roedd hi'n ddiwrnod ystormus, glawog ac afonydd Tywi a Theifi wedi codi'n beryglus o uchel. Daliodd i bistyllu i lawr yr holl ffordd drwy San Clêr, Caerfyrddin, Rhiw Llangeler, Llandysul, Banc Siôn Cwilt a'r Synod. To o gynfas bylchog oedd i'r car, ac roedd pob un ohonom yn y car yn wlyb domen pan gyrhaeddom y Cei. Gan ein bod yn y fath gyflwr, trefnwyd i ni, wedi i ni gael mymryn o fwyd yn nhŷ'r gweinidog, Towynfa, gysgu'r noson gyntaf mewn gwahanol dai. Fe'm cefais i fy hun a'm chwaer, Luned, yn cysgu yn nhŷ Mrs. Thomas, Coedmor.

Erbyn mis Mawrth roedd fy chwaer, Luned, a minnau wedi cychwyn yn Ysgol Elfennol y Cei, Luned yn yr adran gynradd a minnau yn adran y babanod. Y prifathro oedd J. S. Evans, ysgrifennydd Eglwys yr Annibynwyr, Maen-y-groes.

Gan amlaf Cymraeg oedd iaith y gwasanaeth boreol. Ymhyfrydai J.S. mewn alawon gwerin a dysgwyd toreth o'r caneuon hyn i ni yn ystod y gwasanaethau. Ond Saesneg yn unig a glywid o enau'r athrawon a Saesneg oedd cyfrwng dysgu pob pwnc. Ni chafwyd gwers Gymraeg trwy gydol fy nhymor yn yr ysgol.

Cymraeg, wrth gwrs, oedd iaith yr ysgol Sul a'r dosbarthiadau Beiblaidd. Ni fyddai fy nhad yn mynychu'r ysgol Sul yn y Cei.

Ymrôdd i gystadlu mewn Eisteddfodau. Cipiodd y gadair yn Eisteddfod Aberdyfi ym mis Tachwedd, 1923 ac yn ddiweddarach gadair Eisteddfod Dolgarrog. Ar yr 8fed o Fehefin, 1924 ganed fy chwaer, Iarlles Orchwy, gan ddod â bywyd newydd i'r aelwyd a oedd wedi ymdawelu gryn dipyn wedi i Euros a Trefor ddechrau yn y Brifysgol.

Rhyw ddeuddeg cant oedd poblogaeth y Cei yng nghanol yr Ugeiniau, y gyfran helaethaf ohonynt yn ferched a gwragedd am fod y bechgyn ifainc a'r dynion gan amlaf yn gweithio ar y môr. Ond er bod y boblogaeth yn isel, roedd yn rhanedig iawn, a deuai'r rhaniadau hyn yn amlwg hyd yn oed o fewn eglwys. Roedd yno deuluoedd o siopwyr, crefftwyr, cryddion, pysgotwyr lleol a gweithwyr cyflog, capteiniaid a morwyr yr hen longau hwyliau. Nid oedd fawr o gariad rhwng y morwyr cyffredin a rhai o'r capteiniaid, a defnyddid llysenwau digon enllibus pan sonnid am rai ohonynt, yn galw i gof, mae'n debyg, y driniaeth a gawsai rhai o'r morwyr gan y capteiniaid ar y môr, llysenwau megis Twm Starfo. Ond nid oedd cymeriad yn holl bwysig yn y dewis o ddiaconiaid, cysylltiadau teuluol a benderfynai hynny, ac roedd yn y Cei garfanau teuluol grymus a allai rwygo unrhyw eglwys.

Oherwydd ei fagwraeth dlawd, debygaf, tueddai fy nhad i gyfeillachu fwy â'r gweithwyr, ac â'r crefftwyr, megis y sadler a'r saer, ac fe ddigiai hyn y sefydliad lleol. Yn ystod dirwasgiad yr Ugeiniau, fe geisiodd rhai o blith y diaconiaid gael gan yr aelodau dderbyn cynnig i ostwng cyflog fy nhad, a bu cryn gynnwrf a ffrwgwd o fewn yr eglwys. Ofer fu'r cais, ond cymaint fu'r gwrthdaro a'r drwgdeimlad nes i un o'r diaconiaid gyflawni hunanladdiad.

Mae'n amlwg i 'nhad roi'r argraff yn ystod ei ymweliadau ag eglwysi eraill ym 1925 ei fod yn symudol, ac mae un llythyr oddi wrtho at un eglwys yn dweud hynny. Ond ymhen blwyddyn roedd wedi newid ei feddwl. Cafodd yn ystod yr un cyfnod ei wahodd i fod yn weinidog mewn mwy nag un eglwys, megis Eglwys Bethel, Llansamlet, a Nebo, Hirwaun, a buwyd yn ei ystyried yng Nghapel Iwan ac mewn rhyw eglwys yn Lerpwl, ond gwrthod y galwadau a wnaeth.

Buasai T. C. Edwards (Cynonfardd), gweinidog Edwardsville, Pennsylvania farw 13 Mawrth, 1927 a gwahoddwyd fy nhad yno ar gymeradwyaeth Gwylfa, rwy'n credu, i lenwi ei bulpud am ddeufis. Bu Cynonfardd, cyn symud i Edwardsville, yn weinidog Ebenezer, Caerdydd. Urddwyd ef yn aelod o'r Orsedd yn Nawdegau'r ganrif ddiwethaf, ac ef, ym 1913, a fu'n rhannol gyfrifol am sefydlu Is-orsedd yn America ac a etholwyd yn Archdderwydd-Dirprwyol gan Ddyfed yn ystod Eisteddfod Pittsburgh.

Ar 20 Awst am 5.30 p.m. hwyliodd fy nhad o'r Pier Head, Lerpwl yn y llong *SS Laconia* am Efrog Newydd gan alw ar y ffordd yn Queenstown, Iwerddon. Yn *Y Drych* (22 Medi, 1927) ceir yr adroddiad yma gan ohebydd o'r enw Nellie J. Parry a oedd yn teithio ar yr un llong:

> While promenading on deck in the evening, we heard strains of music floating the breeze. When we stopped to listen, it was Welsh singing. We followed the sound and ended our quest by joining in the songfest of Welsh hymns led by the Rev. T. Orchwy Bowen, Towyn, Ceinewydd, Sir Aberteifi, who was on his way to Edwardsville, Pa. to occupy the pulpit of the late Dr T. C. Edwards.
> After making the aquaintance of the gentleman we felt that we had a strength and shield in him, and through his untiring efforts had a very pleasant week on board.

Edrydd *Y Drych* (8 Medi, 1927):

> Mae y Parch. T. Orchwy Bowen, Cei Newydd, Sir Aberteifi wedi dyfod ar daith i'r Unol Daleithiau, lle y bydd iddo bregethu a darlithio. Mae'n fardd da ac wedi ennill llawer o wobrau mewn Eisteddfodau. Brawd ydyw i'r diweddar Ben Bowen.

Yn ystod ei arhosiad yn y Taleithiau bu'n pregethu yn Chicago, Utica a Scranton. Dychwelodd i Gymru ar y llong Mauritania yr wythnos gyntaf o Hydref, 1927 wedi iddo, yn ôl *Y Drych* (20 Hydref, 1927), gael 'derbyniad tywysogaidd' yn y wlad. Tair blynedd yn ddiweddarach cafodd wahoddiad i fod yn weinidog eglwys Gymraeg Scranton, ond fe'i gwrthododd.

Roedd cathod yn rhemp yn y Cei, ac yn aml iawn byddai'r gwragedd a'u cadwai yn gofyn i'r bechgyn lleol foddi'r cathod bach yn y môr oddi ar Penpolion ar draeth y Cei. Gofynnwyd i mi ac i un o'm ffrindiau gyflawni'r weithred greulon. Ond fe wrthodais gan egluro bod fy nhad ar y môr mawr ar y pryd!

Nid oedd sistem ddŵr yn y Cei pan ddaethom yno gyntaf. Roedd gan bawb danc o lechi i ddal dŵr glaw o'r to. Defnyddid y dŵr hwn i olchi dillad ond cyrchid dŵr at ddefnydd arall o bwmp wrth droed rhiw Towyn. Gwaith dyddiol fy chwaer, Luned, a minnau oedd cyrchu'r dŵr. Gwnaem hynny mewn stên a rhannem y pwysau drwy wthio ffon drwy ddolen y stên a'i dal wrth ei deupen. Ond fi oedd negesydd y teulu gan amlaf. Fi oedd y siopwr; fi a anfonnid i brynu sgadan, mecryll, halen i halltu'r hanner mochyn, i archebu glo a chwlm, i bostio llythyrau a thalu'r biliau. Pob bore Sadwrn fy nhasg i oedd mynd i nôl y papurau a'r cylchgronau o siop Huw Davies, y *Christian World*, y *Christian World Pulpit*, yr *Expository Times*, a'r *Dysgedydd* a *Dysgedydd y Plant* i 'nhad, a'r *Hobbies Weekly* a'r *Modern Boy* i mi. Roedd tlodion y Cei yn arfer mynd i draeth Cei-bach a chreigiau'r Graig Ddu i hel broc môr bob gaeaf, coed i'r tân a gwêr neu gŵyr i wneud canhwyllau, a phrofiad digon anturus, os blinderus, oedd mynd gyda nhw. Un tro fe welsom gorff morwr wedi'i olchi i'r lan.

Digwyddiad mawr y flwyddyn oedd y trip Ysgol Sul — taith i Bontrhyd-y-groes gan amlaf yn y blynyddoedd cyntaf, ond mentrwyd ymhellach wedyn, megis i Bermo nifer o weithiau. Anghofiaf fyth y wefr a brofais o weld Tal-y-llyn y waith gyntaf, ac i mi cael cip ar Dal-y-llyn unwaith yn rhagor o ffenestr y bws oedd y prif atyniad i fynd ar y daith bob blwyddyn, nid traeth a hufen iâ Bermo.

Pan oedd Gwylfa yn Gofiadur yr Orsedd cafodd fy nhad ei urddo'n Fardd gan Elfed adeg Eisteddfod Genedlaethol Abertawe 1926 ac yng ngorsedd Eisteddfod Treorci, 1928 fe roddodd anerchiad barddol o'r Maen Llog. Treuliodd 'nhad a mam, y merched a minnau wythnos yn yr Eisteddfod honno. Roeddem yn lletya gyda Bopa Jane, chwaer mam, yn 112 High Street. Gwyliais mewn rhyfeddod ar yr orymdaith orseddol yn cyrchu am Gylch yr Orsedd ar Ben-twyn a Sieffre o Gyfarthfa ar gefn ei geffyl yn arwain a chenfigenwn wrth y macwyaid yn eu gynau. Mynychwn faes yr Eisteddfod bob dydd — y gwŷr wrth y pyrth, glöwyr di-waith ar y pryd oherwydd y Streic, yn caniatáu i mi, crwt 12 oed, fynd i mewn am ddim wrth gwrs. Gwelais goroni Caradog Prichard, ac wedi'r seremoni rhuthrais at y drws i'w weld yn dod allan i'r maes lle'r oedd gwŷr y camerâu yn sathru ar draed ei gilydd i gael llun o'r bardd buddugol.

Ceisiais wthio'n agos ato yn y gobaith y buaswn innau yn ymddangos yn y llun. Ond sylweddolais yn fuan bod rhai eraill llawer hŷn na mi yn fwy awyddus i gyfranogi o'r sylw a roddid i'r prifardd.

Wedi'r gwyliau haf cychwynnais yn ddisgybl yn Ysgol

Sir Aberaeron. Y prifathro oedd yr hanesydd Howell T. Evans. Roedd fy mrawd, Trefor, wedi bod yn yr ysgol hon am ryw flwyddyn ym 1923-24 ac wedi ennill ei dystysgrif gydag anrhydedd mewn Hanes i fynd i'r Brifysgol. Bu fy chwaer, Luned, hefyd ynddi am dair blynedd. Byddai'n lletya o ddydd Llun tan ddydd Gwener yn Aberaeron am swllt y noson, a byddai'n mynd â'i bwyd am yr wythnos gyda hi. Roedd Luned yn gantores dda a chymerai ran amlwg yng nghyngherddau ac eisteddfodau'r ysgol. Yn anffodus, wedi geni'r chwaer ieuengaf, Iarlles, bu'n rhaid iddi roi'r gorau i'w gyrfa addysgol er mwyn cynorthwyo gartref. Dechreuodd gymryd gwersi cerddoriaeth a daeth yn gyfeilyddes gymeradwy.

Roeddwn innau'n eisteddfodwr brwd yn yr ysgol, yn cystadlu ar yr adrodd, y canu unawdau, deuawdau a'r pedwarawdau, arlunio a gwneud mapiau. Cynigiais unwaith am y gadair. Cipiwyd hi gan Ben George Jones, Llwyncelyn, cyfreithiwr wedyn yn Llundain.

Y flwyddyn gyntaf enillais wobr o lyfr am ddod yn gyntaf yn fy nosbarth. Ond yn yr ail flwyddyn ac o hynny 'mlaen i'r pedwerydd dosbarth (neu *Form Shell*, fel y'i gelwid y pryd hynny) tueddwn i golli diddordeb yn yr addysg a gyfrennid. Tryblid fi gan alergedd yn ddifrifol. Ni fedrwn ddarllen llyfr heb gael y fogfa. Un dydd fe ddywedodd fy nhad wrthyf mai peth call fyddai i mi gael gwaith gyda fy mrawd, Thomas, a oedd yn swyddog cyflogau yng Ngwaith Morwoods, Llanelli oni buaswn yn gallu rhoi mwy o sylw i'm gwaith ysgol. Roedd y syniad o weithio mewn gwaith alcan yn ddychryn i mi, a gwelwyd diwygiad reit sydyn yn fy ymroddiad i'm haddysg. Daliwn i gwyno am y fogfa ac awgrymwyd i mi arbrofi darllen llyfr drwy ddarn o wydr. Gwneuthum stondin darllen o bren a fyddai'n gorffwys ar freichiau'r gadair esmwyth i ddal llyfr a darn o wydr o'i flaen. Newidiodd hyn fy agwedd yn gyfan gwbl tuag at yr ysgol, ac fe euthum ati hyd yn oed i ddysgu'r gynghanedd o *Yr Ysgol Farddol*, Dafydd Morganwg, llyfr a fu unwaith yn eiddo i Ben Bowen. Roedd fy nhad wedi etifeddu swp o lyfrau ar ôl Ben Bowen, yn eu plith gramadeg Groeg a llyfr ar fytholeg y Beibl. Roedd hefyd wedi etifeddu organ ar ei ôl. Ar yr organ yma y dysgodd pob un o'r plant ganu emynau o'r llyfr tonic-solffa.

Tua'r amser yma, bu arwerthiant ym Mhlas Llanina. Aeth fy mam a Luned iddi a phrynu piano. Fe fethwyd cael prynwr i nifer o'r llyfrau a oedd yn llyfrgell y Plas, ac fe'u rhoddwyd yn rhad ac am ddim i lyfrgell Capel Towyn. Cedwid y llyfrau yn ddigon diofal yn fwndeli ar lawr yr hen ysgoldy o dan organ fawr y capel. Roedd modd mynd i mewn i'r ysgoldy drwy ddrws yng nghefn yr organ neu ar hyd llwybr a oedd yn arwain o borth y Capel gyda'r wal allanol. Arferwn fynd yno'n ddirgel yn aml, er gwaethaf fy alergedd, i gael cip ar y llyfrau cloriau lledr, rhai ohonynt yn hen iawn a llwydaidd. Un ohonynt, iawn y cofiaf, oedd *Dosbarth Edeyrn Dafod Aur*, Ab Ithel, 1856 sef cyfrol yn cynnwys yng ngeiriau G. J. Williams 'y gramadeg a briodolwyd i Einion Offeiriad a Dafydd Ddu Hiraddug, ond a gysylltwyd (gan Iolo Morganwg) ag enw Edeyrn Dafod Aur a'r *Pum Llyfr Kerddwriaeth*, sef y gramadeg a ddefnyddid gan feirdd yr unfed ganrif ar bymtheg, fel y ceir ef gan Simwnt Fychan.' (*Y Llenor*, xii). Am ryw reswm, na fedraf egluro, bodiwn y gyfrol hon bob tro yr ymwelwn â'r ystafell.

Roeddwn yn hoff iawn o bêl-droed. Bûm yn fy nhro yn gapten tîm ieuenctid Top Cei, ac yn chwarae'n gyson yn y rheng flaen fel mewnwr yn nhîm pêl-droed yr Ysgol Sir am ddwy flynedd. Dewiswyd fi ddwywaith i chwarae yn yr un safle yn nhîm Clwb Pêl-droed y Cei a oedd yn aelod o gynghrair y sir, ac yn ddiweddarach bûm am flwyddyn yn aelod o ail dîm Coleg y Brifysgol, Caerdydd.

Yn ôl J. T. Owen, fy athro Cymraeg yn Ysgol Aberaeron, nid oedd fy Nghymraeg yn ddigon da i mi basio arholiad Cymraeg, Safon 1, Iaith a Llenyddiaeth, a chynghorwyd fi i sefyll arholiad Cymraeg Safon 2. Beth bynnag yn arholiad 1933 Y Bwrdd Canol fe lwyddais i gael graddfa ddigon uchel mewn digon o bynciau i gael mynediad i'r Brifysgol, a phenderfynais fel fy mrawd, Trefor o'm blaen, ymaelodi â Choleg y Brifysgol, Caerdydd.

Roedd fy chwaer, Luned, hefyd wedi bod am dymor yn cael cyfran o'i haddysg yng Nghaerdydd. Buasai'n fyfyrwraig yn Clarke's College, Newport Road, yn dysgu gwaith swyddfa. Talodd ei brawd hynaf, Thomas, am ei haddysg. Cafodd swydd wedyn yn swyddfa'r cyfreithiwr, Gorwel Owen, Treorci. Priododd ym 1936 â Dewi Owen Davies, athro yn ysgol gynradd Llanbadarn Fawr.

Rhyw dridiau cyn i'r Coleg agor ym Medi 1933, ymadewais â'm cartref yng Ngheinewydd, Ceredigion i aros, fel Luned, gyda Bopa Jane yn Nhreorci. Nid oeddwn wedi ymweld â'r Rhondda er Eisteddfod

Genedlaethol Treorci 1928, ac yn ystod wythnos yr Eisteddfod honno deuthum i adnabod llu o berthnasau o ochr fy mam ac ochr fy nhad, glöwyr yn ddieithriad ymron. Roedd diweithdra yn rhemp yn y Cwm, a gwelais gryn lawer o dlodi. Yn ystod fy arhosiad byr ym Medi 1933 rhoddwyd ar ddeall i mi fod teuluoedd cyfan o'm perthnasau naill ai wedi mudo o'r Cwm a chael gwaith yn Lloegr neu yn dal yn ddi-waith. Roedd y sefyllfa yn argyfyngus ac yn creu anniddigrwydd mawr.

Yng Ngholeg y Brifysgol, Caerdydd

Lletywn yn ystod y tymor cyntaf yn y Coleg yng Nghaerdydd gyda chyn-ddisgybl disglair i mi yn Ysgol Sir Aberaeron, sef Thomas Griffith Evans, mab i gapten llong, a ddilynai gwrs gradd feddygol. Fel roedd y tywydd yn gwaethygu fe fyddai Thomas yn cwyno ei fod yn oer yn y gwely. Un noson penderfynodd ddefnyddio dillad ychwanegol a welsai mewn cist a oedd yn yr ystafell. Sylweddolodd gwraig y tŷ drannoeth beth a oedd wedi digwydd, a chawsom rybudd i ymadael a chwilio am lety arall. A dyna a fu. Cefais wybod yn ddiweddarach fod Thomas yn dioddef o'r darfodedigaeth. Bu rhaid iddo roi'r gorau i'w gwrs addysg a bu farw ym 1937. Digwyddodd i mi yn ystod yr ail dymor fy nghael fy hun yn cyd-letya gydag Iddew o'r enw Silvergleit a hanai o Ferthyr. Astudiai feteleg ac etholwyd ef yn drysorydd Undeb y Myfyrwyr. Yn fuan iawn deuthum yn gyfeillgar â nifer o fyfyrwyr a ddeuai o deuluoedd tlawd a di-waith o'r Cymoedd. Yn ystod wythnos gyntaf y tymor, roedd yr Ystafell Gyffredin fel marchnad lyfrau, y myfyrwyr yn prynu a gwerthu llyfrau yn ôl yr angen, a thrwy'r flwyddyn roedd yr awr ginio ynddi fel tŷ bwyta a phawb yn llyncu brechdanau. Carfan fechan iawn a fyddai'n mynd ar draws y ffordd i Undeb y Myfyrwyr i gael pryd. Aent yno i ddarllen y papurau, i chwarae biliards, i ganu o gwmpas y piano neu i gael trafodaethau. Cynhelid dawnsfeydd yno neu yn Ystafell Gyffredin y dynion, a chymharol fychan oedd y cynulliadau ynddynt ac eithrio ar ddiwedd tymor yr Hydref a'r Gwanwyn, ac nid wyf yn cofio clywed cwynion am feddwdod ynddynt. Cynhaliai'r myfyrwyr *'Smoker's Night'* mewn tafarn o leiaf unwaith y flwyddyn, ond ni fyddwn i yn eu mynychu byth. Gwnaed defnydd mawr o Lyfrgell y Coleg a byddai'r llyfrgellydd yn fawr ei gondemniad o'r lladrata llyfrau a fyddai'n digwydd. Clywais sibrwd ymysg swyddogion y myfyrwyr hefyd am ladrata symiau o'r arian a gesglid adeg y Rags.

Day students oedd y myfyrwyr o'r Cymoedd, ond arhosai'r myfyrwyr a ddeuai o bell mewn *digs*, fel arfer yn y strydoedd a oedd am y rheilffordd â'r Coleg, megis Colum Road, Llanbleddian Road, neu Richmond Road. Rhyw 15/- yr wythnos a godid am wely, a byddai'r myfyrwyr yn prynu eu bwyd eu hunain, gan amlaf. Llwyddid i fyw ar ryw £1 yr wythnos. Mynychwyd Llyfrgell Ganolog y Dref fin nos i astudio — yn wahanol i'r *digs*, roedd cynhesrwydd yno. Pan fyddai'r arian yn brin, arferwn fynd i letya at fy modryb yn Nhreorci neu cyn diwedd y tymor fynd adref i'r Cei gan golli darlithoedd ac weithiau brofion pen tymor. Nid oedd y darlithwyr, fel mae'n digwydd bob amser, wrth fodd y myfyrwyr, ac anodd iawn oedd cuddio'r anfodlonrwydd, ac roedd hyn yn eu cythruddo. Roedd y rhai a oedd yn dilyn cwrs mewn Economeg o dan yr Athro Roberts, awdur y gyfrol, *Egwyddorion Economeg*, yn gorfod dibynnu ar lyfrau cyhoeddedig i gael amgyffrediad manwl o'r maes astudiaeth. Ar ffurf trafodaethau roedd ei sesiynau ef, a'r un rhai a oedd yn cymryd rhan yn y trafodaethau hyn, a'r gweddill yn gwrando'n fud, gan dorri i mewn yn wyllt a chyffrous, os digwyddai'r drafodaeth ymylu ar fod yn sathru ar egwyddorion moesol a gofynion cyfiawnder. Mentrais i ateb y cwestiynau mewn un arholiad yn Gymraeg. Fe'm galwyd i ystafell yr athro, a rhoddwyd ar ddeall i mi nad oedd hyn i ddigwydd eto. Pennaeth yr Adran Cydberthynas Ddiwydiannol oedd yr Athro Marquand a oedd wedi ymgymryd â gwneud adroddiad ar anghenion diwydiannol y maes glo adfeiliedig a chynnig argymhellion, ond, fel y gellid disgwyl, gwnaed y myfyrwyr yn yr Adran Economeg ei hunan yn effro iawn i gyflwr economaidd, argyfyngus y Cymoedd, ac roedd rhyfel Ffranco yn Sbaen yn dod i mewn i'r sgwrs yn gyson. Eto damcaniaethol a haniaethol, ie, amherthnasol iawn yr ystyrid yr Economeg a gyflwynid i'r myfyrwyr.

Roedd Cymdeithas Gymraeg a changen o Blaid Cymru yn y Coleg. Roedd y Gymdeithas Gymraeg yng ngafael myfyrwyr am y weinidogaeth gyda'r Methodistiaid. Ond yr un oedd y patrwm gweithredu o flwyddyn i flwyddyn — darlithoedd a theithiau i'r Fro, i Went a Brycheiniog a G. J. Wiliams yn arwain ac yn ennyn diddordeb y myfyrwyr yn effeithiol iawn yn hanes Dysg Gymraeg dros y canrifoedd ac agor eu llygaid i wir gymeriad ac athrylith y gweledydd Iolo Morganwg, gan ddileu'r hen ragfarnau yn ei erbyn. Pan gynhaliwyd Eisteddfod Myfyrwyr Prifysgol Cymru yng Nghaerdydd cafwyd cydweithrediad gwych gan yr holl fyfyrwyr i wneud cyfraniad y Coleg yn un sylweddol a graenus, ac roedd yr esgus o orsedd a gynhaliwyd rhwng y Meini o flaen yr Amgueddfa Genedlaethol yn un hynod o hwyliog, diddorol a chofiadwy.

Ymunais â changen y Coleg o Blaid Cymru yr wythnos gyntaf yn y Coleg a bûm yn ysgrifennydd am ddwy flynedd. Etholwyd rhai o aelodau'r gangen i swyddi dylanwadol yn Undeb y Myfyrwyr. Dyma'r adeg, trwy ddylanwad Dafydd Miles, y cafwyd am y tro cyntaf ddyddiadur dwyieithog i'r myfyrwyr yn hytrach nag un uniaith Saesneg, ac y gwelwyd cynnydd yn y defnydd Cymraeg yng nghylchgrawn y Coleg, *Cap and Gown*, a chryn ddadlau yn y Gymdeithas Ddadlau yn erbyn y duedd i gofleidio'r syniad o wneud Caerdydd yn Brifysgol ar wahân. Ym 1937 aeth llond bws o Bleidwyr o'r Coleg a'r ddinas i'r Cyfarfod Protestio yn erbyn yr Ysgol Fomio ym Mhwllheli pryd y cadeiriwyd y cyfarfod gan yr Athro W. J. Gruffydd, pennaeth yr Adran Gymraeg.

Roedd y bardd a'r llenor, Alun Llewelyn-Williams, cynfyfyriwr yn y Coleg newydd gael swydd yn y BBC, ac arferai droi i mewn i'r Coleg yn aml am sgwrs, mynychu cangen y Blaid a darlithio'n achlysurol i aelodau'r Gymdeithas Gymraeg. Dechreuodd y cylchgrawn *Tir Newydd*, a myfyrwyr o'r Coleg yn ei gefnogi a'i gynorthwyo, a nhw oedd y cyfranwyr cyntaf i'r cylchgrawn. Roedd Alun, yn wahanol i'w dad a'i fam ac aelodau eraill y teulu, yn ddyneiddiwr argyhoeddedig. Mynych ar yr aelwyd ym Mharc y Rhath y byddai'r teulu yn cyd-ganu emynau efengylaidd. Ar yr aelwyd honno y clywais gyntaf yr emyn 'Golchwyd Magdalen yn ddisglair a Manasse ddu yn wyn', ac ni fedrai Alun, er gwaethaf ei feddwl anghrefyddol, ymryddhau o'r fath ganu diwygiadol hyd yn oed wrth yrru ei gar. Gwir y dywedodd Dyfnallt Morgan yn ei anerchiad yn angladd Alun 14 Mai 1988, 'Gwarineb y dyneiddiwr ar ei orau a fynegir yn llyfrau Alun Llewelyn-Williamns.'

Haf 1937 aeth Alun a chyfaill arall i mi, Llew Walters, a minnau ar daith drwy Gymru yng nghar newydd Alun, gwersylla gan amlaf. Mynnodd Alun ein bod yn cysgu un noson yn y Boat House, lle'r arferai Dylan Thomas letya pan fyddai ar ei wyliau yn Nhalacharn. Ni welsom Dylan ei hunan, ond clywsom ef a'i *retinue* yn dod i'r tŷ yn swnllyd berfedd nos. Roeddem wedi ymadael cyn i'r cwmni godi drannoeth. Oddi yno aethom i Dyddewi a gwersylla wrth droed Carn Llidi, ac aethom ymlaen drannoeth i gyffiniau'r Mownt i edrych y bwthyn y bwriadai Alun dreulio ei fis mêl ynddo wedi'r gwyliau. Codwyd y babell un noson ar lawnt Towynfa, fy nghartref yn y Cei. Roedd Llew Walters wedi cael gwybod bod Goronwy Roberts a G. G. Evans ar daith gerdded trwy Gymru yr un wythnos, a digwyddodd i ni daro arnynt yn y Cei, a bu cyfnewid syniadau a phrofiadau yng ngolwg y môr. Buasai Goronwy Roberts yn annerch cangen y Blaid yn ffreutur y Coleg yng Nghaerdydd yn nhymor y gwanwyn, a daethpwyd i'w adnabod fel un a oedd yn ymwrthod â llawer o bolisïau'r Blaid. Ymwelwyd â Llyn Eiddwen a'r Llyfrgell Genedlaethol lle buasai Alun yn gynharach yn ei yrfa yn aelod o'r staff, galw i weld Ben Bowen Thomas yn Harlech, dringo'r Rhinog Fawr a'r Rhinog Fach a hefyd Yr Wyddfa wedi noson o gwsg yn Nant Gwynant. Collwyd cwmni Llew ym Methesda, ac aeth Alun a minnau i wersylla i Ddinas Dinlle. Wedi codi'r babell aethom am dro yn y car i Fangor, gadael y cerbyd wrth y pier, a cherdded ar hyd y Sili Wen. Fel hyn yr adroddais yr hanes mewn darlith goffa a draddodais ar John Morris-Jones yn Llanfairpwllgwyngyll hanner canrif yn ddiweddarach.

Daeth i ben Alun i hurio cwch i fynd ar yr afon Menai, 'fel y gwnaeth Silyn Roberts a W.J. unwaith', meddai. A dyna a fu. Ni wyddwn i ddim byd am yr hanes, ond eglurodd Alun i mi fod W. J. Gruffydd wedi cyfeirio at y digwyddiad mewn sgwrs ar y radio. Yn ddiweddar roeddwn yn gwneud ymchwil yn Llyfrgell Coleg Bangor ac fe ddigwyddais daro ar gopi o sgript sgwrs radio W. J. Gruffydd, a dyma fel y mae'n adrodd yr hanes. 'Wel, aethom allan ein dau mewn cwch i forio ar Fenai, a phe bai rhywun yn gwrando ar y lleisiau a oedd yn nofio i'r lan tua'r Sili Wen a'r Garth ar y noson dawel honno, buasent yn clywed dau lais hynod o Gymreig yn dylifo allan yn acenion Eryri linellau a chwpledau a sonedau cyfain o waith Keats a Shelley a Wordsworth . . . Ar ôl gorffen gyda beirdd mawr Lloegr, troesom at feirdd mawr Cymru, sef Silyn Roberts a W. J. Gruffydd, a diwedd ein cynhadledd ar y môr oedd adrodd ein gwaith ein hunain i'n gilydd, a rhyfeddu at y wyrth a oedd wedi dyfod â dau o feirdd mor nodedig i gyfarfod â'i gilydd mewn un cwch bychan.' Os oedd Alun am ei uniaethu ei hun â Silyn Roberts a W. J. Gruffydd, roeddwn innau am fy uniaethu fy hun â John Morris-Jones, a thrannoeth roeddem, heb fawr o drafod, yn pererindota tuag at ei fedd ym mynwent Llanfairpwllgwyngyll ac yn syllu'n wylaidd ar Geltigrwydd ei gofeb.'

Ymysg y graddedigion eraill a welid yn aml rhwng muriau Coleg Caerdydd roedd J. Gwyn Griffiths, wedyn Athro'r Clasuron yng Ngholeg Abertawe, a T. I.

Jeffreys Jones, Warden Coleg Harlech yn ddiweddarach.

Roedd cangen Dinas Caerdydd o'r Blaid yn rhedeg clwb o'r enw Clwb Owain Glyndŵr. Byddai'r aelodau yn ymgynnull mewn llofft garej, ar lôn oddi ar Richmond Road i gael trafodaethau ar wleidyddiaeth y Blaid. Yno y cafarfûm â Gwyn Daniel, Victor Hampson Jones, Griffith J. Jones ac Eic Davies, y pedwar a ddiswyddwyd fel athrawon yn Ninas Caerdydd ym 1940 am beidio ag arwyddo datganiad eu bod yn cefnogi'r rhyfel. Gwelid nifer o fyfyrwyr o'r Coleg yn y cynulliadau hyn, megis Islwyn Thomas a ddaeth yn athro hanes yn Ysgol Uwchradd Tyddewi. Unwn â nhw i werthu'r *Welsh Nation*, cylchgrawn Saesneg y Blaid, wrth Orsaf Queen's Street ar nos Sadyrnau, ac rwy'n cofio Vic Jones yn cael dadl ynghylch hunanlywodraeth i Gymru â'r dyn mawr o Donypandy, George Thomas, Llefarydd Tŷ'r Cyffredin wedyn.

Arferai rhai myfyrwyr Cymraeg fynd i'r dawnsfeydd a gynhelid gan Gymry'r ddinas mewn neuadd nid nepell o adeilad yr Hen Goleg yn Newport Road. Roedd hon yn ddawns grandiach na'r arfer, ac roeddwn i'n gofalu bethyca siwt gan Vic Jones er mwyn sicrhau y byddai i mi groeso yno.

Cyfrannai'r Coleg hefyd at ddiwylliant Cymraeg y ddinas trwy lwyfannu dramâu mewn neuadd yng nghanol y ddinas. Cynhyrchydd y dramâu oedd y darlithydd Cymraeg, T. J. Morgan, a byddwn i yn gwasanaethu fel trefnydd llwyfan. Byddai T.J. yn achlysurol yn cynnal parti i fyfyrwyr yr Adran Gymraeg yn ei dŷ yn Radur. Roedd yn hael iawn â'i sigarets gan adael powlenni yma a thraw yn y lolfa. Roeddynt wedi diflannu i gyd cyn diwedd y noson.

Treuliais, gyda chefnogaeth ariannol fy mrawd hynaf, Thomas, ran o'r flwyddyn olaf yn lletya yn Neuadd Sant Teilo a oedd yng ngofal Norman Matthews, Deon Llandaf a Ficer Sain Ffagan wedyn. Roedd yn uchel-eglwyswr, yn ganwr piano gwych ac wedi gwneud astudiaeth fanwl o weithiau George Borrow. Mynnai fy ngwahodd i'w ystafell yn aml i gael sgwrs am Gymru a'r Gymraeg a daethom yn ffrindiau mawr. Bob pnawn Sul byddai myfyrwyr Sant Teilo yn cynnal trafodaethau ar wahanol bynciau, a phan ofynnwyd i Norman Matthews ddewis rhywun i fynd i gynhadledd Undeb y Myfyrwyr Cristnogol a oedd i'w chynnal yn Nulyn, fe'm danfonwyd i. Euthum i Ddulyn gan deithio drwy Henffordd, Caer a Chaergybi. Nid wyf yn cofio o ble y daeth yr arian i dalu am y daith. Hwn oedd y tro cyntaf i mi adael Cymru. Lletywn ym Mhrifysgol Dulyn. Yn yr ystafell wely roedd *Union Jack* fawr wedi'i hoelio ar y wal uwchben fy ngwely. Ymysg y Cymry a gymerai ran yn y trafodaethau roedd George M. Ll. Davies, yr heddychwr a'r dyngarwr o Faes-yr-haf, y Rhondda a Gwynfor Evans o Rydychen.

Roeddwn wedi gwneud ffrindiau calon â'r cymysgedd rhyfeddaf o fechgyn yng Ngholeg Caerdydd, dyneidd-wyr, ucheleglwyswyr, pabyddion, comiwnyddion, ac anffyddwyr ac wedi darganfod fy mod yn gallu dygymod â phob rhyw gydfyfyriwr beth bynnag fyddai ei safbwynt a'i ddaliadau. Pawb at y peth y bo oedd fy agwedd i, ond amdanaf i fy hun, amharod oeddwn i wisgo unrhyw label o'r fath. Roeddwn am fod yn fyfi fy hunan, ac roedd bod yn genedlaetholwr Cymreig yn rhan naturiol o'r myfiaeth yma.

Llwyddais i gael fy ngradd gydag anrhydedd mewn Economeg a Gwleidyddiaeth, gan ddilyn yr un pryd gwrs blwyddyn gyntaf anrhydedd yn y Gymraeg gan obeithio graddio mewn anrhydedd Cymraeg y flwyddyn ddilynol. Ond trawyd fy mrawd, Thomas, yn wael gyda salwch nerfol, a bu'n rhaid iddo roi'r gorau i'w swydd. Heb ei gymorth ariannol ef, ni fedrwn ddal ymlaen yn y Coleg. Daeth atom i'r Cei i fyw, a bûm innau yn edrych ar ei ôl, hyd y gallwn. Cefais ganiatâd yr Athro W. J. Gruffydd i ddechrau ar waith ymchwil am radd MA ar y testun 'Traddodiad Llenyddol Deau Ceredigion', ac yn Eisteddfod y Myfyrwyr, Bangor 1938 enillais wobr am y delyneg orau a hefyd y gadair am awdl ar y testun 'Branwen'. Oherwydd blinder a'r fogfa nid oeddwn wedi bwriadu mynd i'r Eisteddfod, ond gofynnwyd i mi wneud ymdrech arbennig i fod yn bresennol. Cyrhaeddais orsaf Bangor nawn yr eisteddfod, ac yno yn fy nisgwyl roedd Goronwy Roberts, Llywydd Myfyrwyr Bangor, G. G. Evans a Gwyneth Evans (Morgan, wedyn) o Goleg Caerdydd.

Ceisiwn ymweld â'r Llyfrgell Genedlaethol unwaith yr wythnos a chesglais gryn lawer o ddefnyddiau, a dechreuais roi trefn ar y traethawd MA. Cyfansoddais hefyd awdl ar gyfer Eisteddfod Genedlaethol Dinbych 1939 ar y testun 'A hi yn dyddhau'. Ynddi ceisiais roi mynegiant i agwedd rhai o bysgotwyr cyffredin, di-gred y Cei tuag at fywyd, a defnyddiais fel ffugenw Pwll Morgan, eu henw hwy ar Fae Ceredigion, oherwydd, i'r môr yno y gyrrwyd heresi Morgan, Arminiaeth, yng nghyfnod y saint. Dyna, meddent, oedd y chwedl. Nid oedd neb yn deilwng o'r Gadair.

Ymhen y flwyddyn roedd hi'n rhyfel rhwng Prydain a'r Almaen. Ychydig wythnosau wedi cyhoeddi'r rhyfel derbyniais lythyr oddi wrth ryw swyddog hyfforddi milwrol yn dal cysylltiad â Choleg Caerdydd yn cynnig hyfforddiant brys i mi i fod yn swyddog yn y lluoedd arfog. Rhoddais y llythyr yn y tân. Roeddwn yn gwbl sicr yn fy meddwl nad oeddwn yn mynd i aberthu fy mywyd dros Imperialaeth Lloegr. Ar yr un pryd roeddwn yn rhyw anesmwyth fy meddwl i barhau fy ymchwil. Awgrymodd fy nhad i mi y gallwn baratoi am y weinidogaeth gyda'r Annibynwyr, a phwysai fy mrodyr, Euros a Trefor, ill dau yn offeiriaid erbyn hyn, arnaf i fynd yn offeiriad. Roedd y fath syniadau yn codi braw arnaf. Bûm yn chwarae â'r syniad o ddianc i Iwerddon, ac euthum cyn belled â llunio llythyr i'r perwyl hwnnw.

Beth bynnag, roedd fy mrawd, Euros, newydd ymsefydlu yn offeiriad yn Llangywair, Penllyn, ac yn erfyn arnaf yn fy mhenbleth i ddod i'w helpu i gael trefn ar y lle, tacluso'r ardd, y lawnt a'r cut mochyn, codi ffens o gwmpas cae pori'r ieir a chlirio cannoedd o boteli brandi a chwisgi gweigion roedd rhyw offeiriad neu offeiriaid yn y gorffennol wedi'u cuddio ym mondo'r ysgubor a'r certws.

Deuthum yn gyfeillgar â chymydog o ffermwr, Mr Williams, Bryncocyn, a bûm yn ei gynorthwyo ef yn achlysurol, digon i mi deimlo'n hyderus y gallwn ymgymryd â gwaith fferm. Digwyddodd i mi rywbeth a oedd yn darogan beth a oedd yn fy aros yn ystod y blynyddoedd nesaf. Eisteddwn un pnawn ar bont afon Dyfrdwy yn Llanuwchllyn yn astudio map ordnans o Feirionnydd er mwyn dod i adnabod y wlad. Daeth PC Morgan ymlaen ataf a holi pwy oeddwn a beth roeddwn yn ei wneud. Eglurais iddo fy mod am wybod enwau'r afonydd a'r mynyddoedd. Cymerodd y map, map fy mrawd ydoedd, oddi arnaf a cherddodd i ffwrdd. Ffoniodd fy mrawd ef yn ddiweddarach yn y dydd ac addawodd y byddai yn cael y map yn ôl. Priododd mab PC Morgan, sef Trefor Morgan, ag Ann, merch Ben Bowen Thomas, fy nghefnder, yn ddiweddarach.

Ar y Tir

Ym mis Tachwedd 1939 danfonais hysbyseb i bapur wythnosol Penllyn, *Y Seren* yn dweud bod myfyriwr ifanc yn chwilio am waith ar fferm. Y gobaith oedd, wrth gwrs, y buaswn yn cael gwaith ym Mhenllyn. Ond un ateb a gefais, sef o Goedydinas, Trallwng, Maldwyn, fferm o diroedd gwastad yn ymestyn o Gastell Powys hyd at lannau Hafren a oedd yn eiddo i R. W. Griffiths, Woodlands, Forden, perchennog y *National Milk Bars*. Addawyd i mi 10/6 yr wythnos, bwyd a gwely. Cyrhaeddais Goedydinas berfedd gaeaf, yr wythnos gyntaf o Ionawr, 1940, a chael bod y beiliff a'i wraig a phob un ond un o'r gweision yn Gymry Cymraeg. Cyflwynwyd fi i'm tasgau — gofalu am drigain o wartheg godro, eu bwydo, eu godro â pheiriannau a charthu, heb sôn am y dasg greulon o chwalu miloedd, ie, miloedd o dyrrau tail hyd y caeau anferth a ymestynnai i lawr i lannau afon Hafren. Roedd yn brofiad ysgytwol. Ymhen ychydig, wedi i mi ddod i adnabod y fro, fe brynais feic, ac fe aeth y rhan fywaf o'r 10/6 yr wythnos i dalu'r rhandaliadau amdano.

Yn y cyfamser cofrestrais fel gwrthwynebwr cydwybodol ar dir cenedlaetholdeb. Mai 23, 1940 ymddangosais gerbron Tribiwnlys Artemus Jones yn Wrecsam, ac fe ddedfrydwyd fi i aros ar y tir. Penderfynais apelio yn erbyn y dyfarniad. Bu adroddiadau am fy safiad i ac eraill yn y Wasg, a gwelais gryn newid yn agwedd rhai o drigolion Trallwng yr oeddwn wedi gwneud ffrindiau â nhw. Ymhen wythnos galwodd aelod o Heddlu Maldwyn heibio, a mynnodd fynd drwy fy mhapurau yn fy ystafell. Pan welodd y cyfrolau barddoniaeth yn fy ystafell dywedodd wrthyf ei fod yntau yn barddoni, a dechreuodd adrodd peth o'i gyfansoddiadau i mi. Un o Langadfan neu o'r Foel, os iawn y cofiaf, ydoedd yn wreiddiol. Roedd gennyf hefyd nifer o lyfrau ar economeg a gwleidyddiaeth yn fy ystafell. Roedd un ar hanes Iwerddon, *The Irish Republic*. Cydiodd ynddo a mynd ag ef i'w ganlyn. Rhybuddiodd fi y byddai'n ofynnol i mi alw heibio i Swyddfa'r Heddlu yn y Trallwng yn gyson. A dyna a wneuthum am y misoedd nesaf.

Pan ddeuthum un bore bach i'r beudy sylwais fod rhywun wedi torri arwyddion swasticas ar draws y ffenestri. Un penwythnos gadawyd goleuni arno yn ddamweiniol yn y buarth, a daeth yr Heddlu heibio, ac amheuwyd fi yn gyntaf, wrth gwrs. Wedi i mi egluro fy mod yn digwydd bod i ffwrdd ym Mhenllyn y penwythnos hwnnw, cyhuddwyd y beiliff, a chymerwyd ef i'r llys, ac fe'i dirwywyd. Er hyn oll, ac er i mi golli llawer o'm gwallt yn ystod y misoedd cyntaf hyn ar y tir, ni fedraf ddweud fy mod yn anhapus wrth fy ngwaith. Yn wir yr oeddwn yn fy mwynhau fy hun yn fawr iawn. Roedd y gweision i gyd yn ffrindiau a rhywbryd yn Ionawr cawsom ein gwahodd i wledd yn nhŷ crand R. W. Griffiths yn y Woodlands, Forden.

Fe'm galwyd i ymddangos gerbron Tribiwnlys Apêl Hopkin Morris yng Nghaerdydd. Ni newidiwyd dyfarniad gwreiddiol y Tribiwnlys. Cefais wybod yn ddiweddarach fod fy nhad wedi ysgrifennu at Hopkin

Morris gan erfyn arno i ymateb yn raslon i safiad ei fab ar dir cydwybod gan ei atgoffa iddo ef ei hunan, ym 1929 a 1931, ymgyrchu a siarad yn gyhoeddus ar ei ran fel ymgeisydd Rhyddfrydol yng Ngheredigion. Ymatebodd Hopkin Morris yn gas gan gyhuddo 'nhad o ymyrryd yn droseddol yng ngweithrediadau'r Llys Apêl.

Daeth fy nhad a'm mam a'm brawd Trefor, curad Kington, swydd Henffordd erbyn hyn, i'm gweld tua'r amser yma, a cheisiwyd fy narbwyllo i roi'r gorau i weithio ar y fferm a mynd i'r weinidogaeth. Ond ni fynnwn wrando arnynt. Yn sicr ddigon, roedd yr haleliwia yn fy nghalon i. Roeddwn wedi gwneud fy safiad.

Yn fuan wedyn ducpwyd achos yn erbyn Trefor a'i gyhuddo o lefaru rhyw eiriau bradwrus wrth ddau filwr mewn lifrai yn y neuadd biliards a berthynai i eglwys y plwyf, Kington. Bu o flaen ei well, ac fe'i carcharwyd am ychydig fisoedd yng ngharchar Amwythig. Un bore euthum i'w weld yn y carchar. Heb yn wybod i mi roedd fy nhad a'm mam wedi trefnu i ymweld â'r carchar yr un diwrnod. Wrth i mi nesáu at y carchar, cwrddais â hwynt wrth iddynt adael y porth, a rhoddwyd ar ddeall i mi na fyddwn yn cael caniatâd i'w weld y diwrnod hwnnw. Wedi i Trefor gael ei ryddhau o'r carchar, gwrthododd yr eglwys y bu'n gurad ynddi ei dderbyn yn ôl, a chafodd waith yn gyrru lori am weddill y rhyfel. Effeithiodd y driniaeth arno yn drawmatig iawn, ac ni bu ef fyth yr un fath wedyn.

Yn Awst 1940 euthum ar fy meic i Benllyn, y fro roeddwn am fyw ynddi dros y rhyfel. Cefais wybod bod

Cadwaladr Hughes, Yr Hendwr, Llandrillo, am gyflogi cowmon. Holais a chefais y gwaith. Wedi gweithio am fis arall yng Nghoedydinas, cenais ffarwél i lannau Hafren a bwrw fy nghoelbren ar lannau Dyfrdwy. Ymhen pythefnos wedyn galwodd heddwas Llandrillo i gael gair â'm meistr newydd amdanaf. Ond nid wyf yn credu i'r hyn a glywodd ganddo effeithio ar yr ymddiriedaeth a oedd gan Mr Hughes ynof. Yn wir roedd y berthynas yn un hapus iawn. Talai i mi y lleiafswm cyflog cydnabyddedig, a byddai yn fy ngwahodd yn aml o gegin y gweithwyr i'r tŷ i gael sgwrs. Roedd yn swyddog yng nghapel yr Annibynwyr, Llandrillo, a phan ddywedais wrtho fod fy nhad yn weinidog gyda'r Annibynwyr, fe'i gwahoddodd i bregethu yn ei gapel, a threfnodd iddo letya yn yr Hendwr.

Roedd Jac Lewis Williams, cyd-ddisgybl i mi yn Ysgol Sir Aberaeron a Phennaeth Adran Addysg Coleg y Brifysgol, Aberystwyth wedyn, yn gweithio ar fferm gyfagos, a buom yn newid profiadau fwy nag unwaith. Datguddiodd i mi ei fod wedi cynnig am y wobr yng nghystadleuaeth y delyneg ar y testun 'Brain' yn Eisteddfod Myfyrwyr Cymru Bangor 1938 gan gyfaddef, er mawr syndod i mi, fod fy nhelyneg i a ddaeth yn gyntaf yn ôl y beirniad, R. W. Parry, yn rhagori ar ei ymgais ef.

Roedd penbugail Hendwr yn ddrwgdybus ohonof o'r cychwyn am ryw reswm neu'i gilydd, a gwnâi ei orau i gario pob rhyw glecs a chelwyddau amdanaf i'r meistr. Un bore am saith o'r gloch fe heriodd fi â'i ddyrnau a'm galw'n gonshi. Os do, ymhen eiliad roedd ar wastad ei gefn ar lawr y gegin. Cefais lonydd byth wedyn. Fe agorodd y gweision eraill eu calonnau i mi, a chynhesodd y berthynas rhyngom.

Ymestynnai fferm yr Hendwr o lannau Dyfrdwy i ben y Berwyn, a thyfid ceirch nid yn unig wrth y tŷ ond hefyd yn y ffriddoedd uchel oddeutu'r afon Llynnor. Byddai un o'r gweision yn treulio wythnosau ar eu hyd yn aredig y ffriddoedd gan gysgu yn y stabl gyda'r ceffylau. Uwchlaw'r ffriddoedd roedd y corlannau a'r tybiau golchi defaid, a byddai'r gweision i gyd yn mynd yno i drin y defaid o bryd i'w gilydd. Ond edrych ar ôl y da byw oedd fy mhriod gyfrifoldeb i.

Roedd tymor cynaeafu 1940 yn eithriadol o wlyb, a gorfodwyd ni i fwrw iddi i gario'r ceirch o'r ffridd er ei fod ymhell o fod yn sych. Gwagenni pedair olwyn, rhai wedi'u benthyca o ffermydd cyfagos, a ddefnyddid i gario'r ceirch, a malwyd dwy neu dair o olwynion oherwydd y pwysau anarferol a'r ffordd garegog. Roedd hi'n ffair galan gaeaf yn y Bala drannoeth cario'r llwyth olaf.

Yn ystod fy amser yn yr Hendwr fe'm cefais fy hun yn cyfeillachu yn ddieithriad ymron â meibion y pridd, a deuthum i sylweddoli bod gweision ffermydd mawr Edeirnion yn ffurfio rhwydwaith arbennig neilltuedig. Troent mewn byd hollol wahanol i weddill y gymdeithas, ac roedd ganddynt eu diwylliant eu hunain. Yn eu plith nhw y treuliais y nosweithiau, a chanddynt fe ddysgais gryn lawer am yr hyn a olygid wrth werin gwlad.

A minnau'n dechrau teimlo'n wir gartrefol yn yr

Hendwr, cefais ar ddeall bod bachgen ifanc o'r enw E. Bryan Jones (Is-olygydd *Y Faner* wedyn) yn gweithio ar fferm Cwmhwylfod, Y Sarnau. Buasai Bryan yn aelod o staff Gwasg Prifysgol Rhydychen cyn iddo gofrestru fel gwrthwynebydd cydwybodol a'i ddedfrydu i weithio ar y tir. Tyfodd cyfeillgarwch rhyngom, ac amlhaodd fy ymweliadau â Chwmhwylfod. Cefais glywed am ddiwydrwydd diwylliannol y Sarnau o dan arweiniad Llwyd o'r Bryn, a phan ddeëllais fod Lloyd Owen o'r Tŷ Uchaf am help llaw ar ei fferm, roeddwn yn barod i godi fy mhac o'r Hendwr er mwyn bod yng nghanol berw diwylliannol y Sarnau.

Lletywn yn un o'r teulu yn y Tŷ Uchaf. Ymhen ychydig wythnosau fe aned etifedd, sef Geraint Lloyd Owen, ac yn fuan wedyn mab arall, Gerallt, y cyfan o linach Tyddyn Barwn, Dyffryn Cletwr.

Mynychwn gyfarfodydd y Llawr Dyrnu yn Ysgol y Sarnau ac Ysgol Sul Bethel, a chefais y fraint o gael ychydig o hyfforddiant ar y delyn ar aelwyd Caerau Isaf, cartref y Cynghorydd Sir, Lewis Hywel Davies a'i wraig, sef chwaer Lloyd Owen.

Roeddwn wrth fy modd yn y Sarnau, a chenais gywyddau ac englynion o fawl i'r fro a'i harweinwyr diwylliannol. Fel yr oedd hi'n digwydd, fe osodwyd cystadleuaeth yn Eisteddfod Genedlaethol Aberteifi, 1942, am 'Ddetholion o Ganeuon Gwreiddiol'. Cyflwynais gasgliad o gerddi yn ymwneud â'r Sarnau a Phenllyn i'r gystadleuaeth, a dyfarnwyd i mi'r wobr gan Saunders Lewis. Darlledwyd detholiad ohonynt ar y radio wedyn gan Wil Ifan, T. Llew Jones a Prysor

Williams. Roedd un ohonynt wedi ymddangos yn *Y Faner*, 23 Ebrill, 1941 ond ni welodd olau dydd byth wedyn, sef

Cywydd i Mr Lewis Hywel Davies

Y gŵr mawr o gwr Meirion,
Rwyd gâr mawr hyd gyrrau Môn,
Enaid wyt i fro Glyndŵr
Ac arweinydd gwerinwr,
Dy fryd yw tywys dy fro,
Ynni tân wyt ti yno.
Carwr iaith a'r creiriau wyd,
Y llon delyn. Llawn d'aelwyd.

Y call edn cu a llednais,
Darian sir rhag dwrn y Sais.
Seren wawr y Sarnau wyd,
Gwae i'r Eingl yw dy gronglwyd
Cur i ais Caerau Isaf
Aerwy glwm am Gymru glaf.
Hawdd yw dod o gyrraedd De
I newyddlan anheddle.

Yn y Caerau mae ceraint,
Newydd frawd a gafodd fraint.
A dialar yw'r delyn,
Alaw'n dod i lonni dyn.
Y ddwy res dan fysedd rydd
Hynaws gerdd nos a gwawrddydd
A mwyn dusw mewn dwysain,
Hiraeth gerdd yn yr iaith gain.

Ym mro Meloch mae'r moelydd,
Gwlad yr og ac aelwyd rydd.
Enwog wŷr o gyhyrau
A drig byth hyd rug y bau.
Bro yr haf glas wybr hefyd,
Isel rŵn y grisial ryd,
Y graeanaidd Gaereini,
Hudol lan ei dawel li.

Difyr waith dy fore oedd
Ieuo'r wedd ar ei ffriddoedd,
Rhodio'i dôl yng ngwrid y dydd.
Iti rhoed tir ehedydd,
Alaw fwyn y gylfinir.
Ceraist hon yn croesi tir.
Garwr gwlad, ail greyr glas,
Ni wnei d'annedd mewn dinas.

Gymro gwâr, dy gymar gwyn
A fu orig ar Ferwyn,
Hinon bêr Tyddyn Barwn,
Annedd cog a'r bysedd cŵn,
Aber gwin a bro'r gwanwyn,
Grug a'r llus, y graig a'r llwyn,
Hwyr a gwawr mor bur a gwyn
Yw goferydd teg Ferwyn.

Llym eryr, canllaw Meirion,
Henfur wyt i'r geinfro hon,
Gwron gwych ein gwerin gaeth
A llon noddwr llenyddiaeth.
Yma'n ei thir mwy ni thau
Y wen iaith na'r gân hithau.
Hwy erioed fu ar dy fant.
Tra fyddi, ond tirf fyddant!

Os ei fardd tan grwys a fydd
Neu o'i wlad mewn pell wledydd,
Newydd feirdd ddaw i'w fyrddau
I'r hen fro â'r awen frau.
Os efô, Lewis, a fydd,
Tyr y gaeaf tragywydd,
Erys hirnos dros Sarnau.
Tros y tir namyn tristâu.

Cenais gywydd hefyd i'm cyfaill E. Bryan Jones a oedd newydd ddechrau canlyn merch o'r enw Eirian. Fe'i cyhoeddais yn *Seren* y Bala, ond ni welwyd ef mewn print byth wedyn:

Cywydd i Gyfaill

Morynion sy'm Meirionnydd
Glwys eu dawn fel glas y dydd,
Rhai yn deg o firain dwf,
Ardal morynion irdwf.
Yma'n ddof a dibrofiad
I ochel gwŷs uchel y gad
Y daeth, 'rol ofer deithio,
Lwydog lanc o wlad y glo.

Hwyrnos ar ffordd y Sarnau,
O lwyn y ddôl gwelwn ddau,
Gwamalfardd o Gwmhwylfod
A'i eilun deg gŵyl yn dod.
Mynd i oed ym min y dŵr,
Hwyrddydd ar lannau merddwr,
Mynd i oed am ennyd ydoedd,
Ennyd awr i'r enaid oedd.

Gwylio oedd i'w llygaid glain
Fel mul diofal, milain,
Sythu ei gorff, a seithwaith
Herio'i min yn hir a maith.
'R olaf waith ddireol fu,
Chwysai'i hun i'w chusanu,
Daered ei sibrwd wedyn
Yn ei chlyw yn uchel, hyn —

'Truan wyf, treio'n ofer,
Er oer siom, daro'r sêr;
Ceisio gennyt, cas gwyno,
Nawdd dy ras un newydd dro.
Caru neb o'n byd crwn ni,
O Daf neu Wysg i Deifi,
O Sir Fôn i Sir Fynwy,
Yn fy myw, ni fedraf mwy.'

Priododd Bryan â'i eilun deg, Eirian Hughes, merch
cyn-brifathro Ysgol Gynradd Llanegryn, ym 1946 yng
nghapel y Methodistiaid, Llanegryn, a minnau'n was
priodas iddo. Bu farw Bryan yn ddisyfyd wedi peth
amser yn is-olygydd *Y Faner*, a chladdwyd ef ym
mynwent eglwys y plwyf Llanegryn. Claddwyd Eirian
yn yr un bedd ddiwedd mis Tachwedd 1991.

Haf 1941 cymerais seibiant oddi wrth waith fferm
heb roi gwybod i'r Bwrdd Amaeth er mwyn gorffen fy
ymchwil, a threuliais ryw fis yn Aberystwyth gan letya
yn Bridge Street. Roedd hyn yn bosibl gan fy mod wedi
cynilo ychydig yn ystod yr amser y bûm yn yr Hendwr.
Tipyn o fenter oedd hyn gan na wyddwn a fyddwn yn
llwyddo i gael gwaith wedyn. Dychwelais i Benllyn, ac

yn y Bala un noson fe glywais fod John Jones, Tan-y-bwlch, Cwm Cynllwyd, tad-cu Mrs Gwynfor Evans, am gymorth dros y cynhaeaf. Dysgodd Simon Jones, y mab, i mi sut i bladurio a thorri ac eilio mawn. Cefais gyfle hefyd i ddysgu cneifio â llaw, a byddwn yn mynd gyda Simon i ffermydd cyfagos i helpu'r cneifwyr. Un tro wedi diwrnod hir o gneifio yn Nantybarcud fe ddringais i gopaon Aran Benllyn ac Aran Fawddwy i weld yr haul yn machlud. Roedd yn brofiad newydd a bythgofiadwy.

Yn ystod y ddwy flynedd a hanner nesaf cyflogwyd fi gan deuluoedd yn dal perthynas â theulu Tan-y-bwlch, sef gyda'r merched, Mrs Cadwaladr Williams yng Ngwernhefin a Mrs Emrys Davies yn y Fron-goch.

Tua'r amser yma y ffurfiwyd Cymdeithas Ffermwyr Ieuainc Penllyn, a phenodwyd fi i fod yr ysgrifennydd cyntaf. Gofynnwyd i mi gan y cadeirydd, lunio emyn y cynhaeaf, — un uniongred, wrth gwrs, a dyma a gafodd. Hyd y cofiaf, nid ymddangosodd erioed mewn print o'r blaen, ond dyma a luniais. Mae'n swnio bellach fel emyn o'r Oesau Canol. Ond gallaf eich sicrhau nad oedd yr un tractor ym Mhenllyn pan luniwyd y penillion hyn:

> Wedi tymor cynaeafu,
>   Cynaeafu'r ŷd a'r ceirch,
> Wedi llenwi'r ysguboriau
>   A dadfachu tresi'r meirch,
> Cadwn ŵyl i lawenychu
>   Fod tosturi i ni'n stôr,
> Bod ein lluniaeth a'n llawenydd
>   Fyth yn aros fel y môr.

Ni bu Duw i ni eleni
Mewn daioni yn ddi-dyst.
Rhoes o'i gariad a'i drugaredd
Fel ym marw Iesu Grist.
Rhown y groes uwch ein pentanau
A'n hiniogau bob rhyw un,
Fel y cofiwn Gethsemane
Ac archollion Mab y Dyn.

Hydref 1941 dechreuais ddarlithio mewn dosbarth a drefnwyd gan Fudiad Addysg y Gweithwyr ar lenyddiaeth Gymraeg yn Ysgoldy Eglwys Llanuwchllyn, a deuthum i adnabod R. J. Edwards (Robin Jac), Hendre Mawr, Gwilym Rhys Roberts a'r canwr penillion ac alawon gwerin enwog, Einion Edwards, Tyddynronnen a llu o Gymry diwylliedig a gwladgarol eraill y fro. Roedd Robin Jac yn englynwr, yn dipyn o gymêr, fel y clywais ei ddisgrifio. Bu'n gynharach yn ei fywyd yn cystadlu mewn rasys beic-modur yn Ynys Manaw, Iwerddon a Gwlad Belg. Athro yn Ysgol Gynradd Llanuwchllyn oedd Gwil Rhys ar y pryd. Yn ddiweddarach penodwyd ef yn brifathro Ysgol Gynradd Llangurig.

Ym 1984 galwodd ei fab, Hywel, swyddog ym Mharc Cenedlaethol Eryri, heibio i'm gweld a gofynnais iddo fynd â chopi o'm cyfrol o farddoniaeth i'w dad, ac mewn llythyr yn cydnabod yr anrheg fe ddywedodd Gwil Rhys:

Bydd yn gyfrol a drysoraf tra byddwyf ac fe'i cedwir yn wastad o fewn cyrraedd imi allu troi iddi'n fynych. Roeddwn, wrth gwrs, yn gyfarwydd â llawer o'r cerddi, amryw ohonynt ar fy nghof, ond mae'n braf eu cael hefo'i gilydd. Daw llawer atgof imi o'r gorffennol pell wrth eu darllen, ambell un na pherthynant i neb arall, megis y cof amdanat yn adrodd yr Awdl imi wrth inni gyd-gerdded yn hwyr y nos o eisteddfod y Sarnau yn ôl i Lanuwchllyn, pan oedd Robin Jac a'i gerbyd wedi mynd ar ôl rhyw ferch a'n gadael ar y clwt.

Roedd yn fardd da iawn ac yn bysgotwr deheuig. Bu farw ym 1991 a lluniais yr englyn coffa canlynol iddo:

Afonydd oedd ei fwyniant, — dehonglydd
    Lleferydd llifeiriant,
    Llon delynegion y nant
    A chywyddau ei chwyddiant.

Un diwrnod ym 1942, wrth i mi yrru bustach i'r lladdfa yn y Bala, stopiodd car, a phwy oedd ynddo ond Cassie Davies a oedd ar y pryd yn arolygydd ysgolion yn y sir. Cafodd y bustach egwyl o orffwys a chyfle annisgwyl i lenwi ei fol am y tro olaf.

Yr holl amser y bûm yn gweithio yn was fferm, ni ofynnwyd i mi unwaith gan y meistr a oeddwn am gael *bath*. Gofynnais i un o'm meistri unwaith a fuaswn yn cael defnyddio'r cyfleusterau ymolchi a oedd yn y tŷ. Cynghorodd fi i beidio byth â chael *bath* am fod yr arferiad yn gwanhau'r corff! O'r herwydd arferwn fynd yn gyson at fy mrawd i Reithordy Llangywair i gael un. Arferwn feicio yno neu groesi Llyn Tegid mewn canŵ o un o'r cilfachau yng ngwaelod caeau Gwernhefin. Byddwn yn mynd yno hefyd i fwydo ieir fy mrawd pan oedd y teulu oddi cartref.

Pan oeddwn yn gweithio yn y Fron-goch gydag Emrys Davies dysgais sut i botsian samwn yn afon Tryweryn, a chofiaf un noson gario dwsin o eogiaid gyda'r hogiau a phob un ohonom hyd yr ystlysau yn nŵr yr afon wrth groesi berfedd nos tua thref. Dysgais hefyd sut i dorri ar yr ŵyn gwryw a serio lloi a symud eu cyrn. Trwy'r profiadau newydd yma, fe gyfoethogwyd fy ngeirfa yn fawr.

Bob rhyw hyn a hyn byddai Davies, Tywyn, fel y gelwid ef, yn galw heibio â'i stalwyn, a byddai ffermwyr yr ardal o bell ac agos yn tyrru i fuarth y Fron-goch, pob un â'i gaseg. Diwrnodau prysur oedd y rhain i'r stalwyn a mawr oedd diddordeb y gweision a'r morynion. Ni wn a oedd Davies yn tynnu fy nghoes ai peidio, ond fe ofynnodd i mi un tro a fuaswn yn hoffi cael gwaith ganddo yn canlyn stalwyn. Pan glywais ei eiriau, daeth blas cyfoglyd i'm genau.

Cefais hefyd y profiad o dorri beddau ym mynwent Eglwys y Fron-goch gyferbyn â'r fferm ar gais cyfreithiwr o'r Bala. Cefais hefyd y fraint o gael cwmni Bob Tai'r Felin fwy nag unwaith pan fynnai gymorth i drin ei ddefaid. Roedd Tai'r Felin yn ffinio â fferm y Fron-goch. Gyferbyn â'r fferm hefyd roedd, yn ystod y rhyfel byd cyntaf, wersyll milwrol lle y carcharwyd De Valera a'r gwrthryfelwyr Gwyddelig am ysbaid. Pan fyddai angen pibau i drwsio carthffosydd newydd y fferm, byddem yn codi'r rhai a osodwyd i lawr yn y gwersyll gan y carcharorion Gwyddelig a'u hail-ddefnyddio.

Er gwaethaf y fogfa a achoswyd yn bennaf gan lwch a llwydni gwair a'm llesteiriai wrth fy ngwaith bob dydd ac a barai lawer o ddiffyg cwsg, fe ddeuthum i ben â gorffen fy nhraethawd MA. Euthum ar fy meic bob cam i Gaerdydd i'r capio 20 Gorffennaf, 1943 yng nghwmni Gwilym Rhys Roberts. Beirniadwyd fi yn llym gan un o swyddogion y Coleg am nad oedd fy ngwisg yn rhyw ddeche iawn, a mynnodd fy mod o leiaf yn mynd ar unwaith i brynu tei. A dyna a fu. Daeth fy nhad i fyny o'r Cei a Bopa Jane o Dreorci i wylio'r seremoni. Teithiodd Gwil Rhys a minnau yn ôl drwy Henffordd a chysgu'r noson gyntaf ar fat ym mhorth yr Eglwys Gadeiriol.

Treuliais flwyddyn olaf y rhyfel yn gwasanaethu ym Mryncaled, fferm y bardd a'r athro beirdd, Gwyndaf Davies, Cynghorydd Sir. Cynigiodd i mi'r cyflog gorau a bwthyn i fyw ynddo, sef Llwynpïod. Ni wn ai tamprwydd y bwthyn neu'r ffaith fy mod yn cadw ci defaid, Gelert, ac yn caniatáu iddo gysgu wrth fy ngwely oedd yn gyfrifol, ond fe waethygodd fy iechyd yn ddifrifol. Heblaw'r fogfa a thrafferthion gyda'r ffroenau a'r sinus, fe fyddwn yn cael cur pen difrifol. Byddwn yn gwisgo mwgwd wrth fy ngwaith, ac yn cael rhyddhad drwy anadlu rhyw fath o hylif a gawn gan y fferyllydd, ac yn cadw tân mawr yn y gegin fin nos.

Credaf mai'r tân yma oedd y prif atyniad i rai o hogiau'r ardal a ddeuai ataf i ddysgu'r gynghanedd. Byddai Gwyndaf yn caniatáu i mi ddefnyddio'i lyfrgell gynhwysfawr. Ymffrostiai yn ei gysylltiad â'r Orsedd, a byddai tystysgrif ei urddo yn cael y lle canolog uwchben y silff-ben-tân. Arferwn fynd gydag ef i'r Ysgol Sul yn Hen Gapel, Llanuwchllyn lle'r oedd yn ddiacon. Un dosbarth oedd yno, sef i'r rhai mewn oed, a digon anuniongred oedd y trafodaethau bob amser. Roedd Gwyndaf, gyda llaw, yn edmygydd mawr o Hwfa Môn.

Ffermio er mwyn byw roedd Gwyndaf a Mrs Davies gyda'u merch, Megan. Arferai Mrs Davies gusanu'r gwartheg godro pan ddeuai i'r beudy, a phan fu farw'r hen gaseg, yn hytrach na'i danfon i ffwrdd, bu rhaid i mi a chymydog dreulio wythnos yn gwneud twll anferth ar gŵr mawnoglyd cae cyfagos i'w chladdu. 'Yma y bu hi farw ac yma y caiff hi ei chladdu,' oedd geiriau Gwyndaf. Pan ddaeth dydd y cynhebrwng llusgwyd yr hen gaseg chwyddedig yn ddefodol o dŷ'r esmwythdra i lan y bedd. Cafwyd bod dŵr yn goferu o'r twll. Ond aed ymlaen â'r ddefod. Tynnwyd y corpws i'r dŵr a'i adael yno i nofio a'i heglau ar i fyny. Noson drannoeth wrth fynd tua'r Llan daeth hi'n amlwg i mi fod yr hen gaseg yn ysglyfaeth i gŵn yr ardal.

Un noson cynhaliwyd cyfarfod cyhoeddus gan Blaid Cymru yn yr ysgol gynradd. Rwy'n credu mai Gwilym R. Jones, golygydd y *Faner*, oedd y siaradwr. Roedd cynnwrf yr hwliganiaid y tu allan mor fyddarol nes i ni orfod dirwyn y cyfarfod i ben cyn pryd. Roedd hi'n dywyll fel y fagddu y tu allan, a cheisiwyd dal rhai o'r drwgweithredwyr a bu sgarmes a dyrnu. Bu pwyso, fel y rhoddwyd ar ddeall i ni, ar yr hogiau i ddwyn achos yn erbyn tri ohonom yn Llys y Bala am ymosod. Cynigiodd y bargyfreithiwr Alun Pugh (y barnwr wedyn) a fu yn gynharach yn ystod y rhyfel yn amddiffyn nifer o wrthwynebwyr cydwybodol a safai ar dir cenedlaetholdeb, ddod yr holl ffordd o Lundain i'n hamddiffyn. Er ei ymdrech ddiffuant ar lawr y Llys, fe'n cafwyd yn euog, a dirwywyd ni £19 yr un. Ceisiodd yr amddiffynwyr gael gwrandawiad Cymraeg, ond gwrthododd y llys.

Canu'n iach i Benllyn

Diwedd Awst 1944 cenais yn iach i Benllyn a dychwelyd i'r Cei at fy nhad a mam. Cawsai fy nhad drawiad ar y galon a bu'n orweiddiog am flwyddyn. Bûm innau yn cael triniaeth gan y meddyg, a danfonwyd fi i Ysbyty Aberystwyth at arbenigwr. Dyfarniad y meddyg oedd fy mod yn dioddef o alergedd yn ddifrifol a chefais gyfarwyddyd manwl, ac o'i ddilyn, fe gafwyd peth iachâd, digon i mi allu llunio Awdl o Foliant i Amaethwr ar gyfer Eisteddfod Genedlaethol Aberpennar, 1946. Cynlluniais yr awdl yn dair rhan, — 'Gosteg y Bardd', ynddi ceisiais ddarlunio'r amaethwr fel yr oeddwn i yn synio amdano, 'Cân y Ddaear', fel y dychmygwn yr oedd y Fam-ddaear yn synio amdano, a 'Cân yr Angylion', fel yr oedd Cristnogion yn hoffi synio amdano.

Ym mis Ionawr 1945 fe alwodd Abraham Jenkins, Prifathro Ysgol Uwchradd Tonyrefail, Llantrisant heibio. Erfyniodd yn daer arnaf i ddod fel athro Cymraeg i'w ysgol. Cynghorwyd fi gan fy nhad i gydsynio. Cefais eirda gyda'r troad oddi wrth G. J. Williams. Bu rhyw fath o gyfweliad, os dyna'r gair priodol, y Prifathro ac un cynghorwr yn holi, ac fe'm penodwyd. Swydd dros dro ydoedd. Roedd yn brofiad pwysig a newidiodd gyfeiriad fy mywyd.

Manteisiais ar y cyfle a ddaeth i'm rhan i fynd ar drywydd fy hynafiaid yn Llandyfodwg, Llantrisant a'r Rhondda. Roedd Pwll Glo Coed Elái ryw filltir o

Donyrefail, a chododd hyn awydd arnaf i fynd i lawr pwll glo. Cyflwynwyd fi i weinder y pwll a fu mor garedig â threfnu i mi fynd i lawr un bore Sul i berfeddion y pwll. Daeth cyfle hefyd i mi adnewyddu hen gyfeillgarwch. Ymwelwn yn aml â chartref Trefor Morgan, sylfaenydd Cronfa Glyndŵr, hen gyfaill i mi, a'i wraig Gwyneth (*née* Evans), cyd-fyfyrwraig i mi yn y Coleg, a Branwen, eu merch yn Llanilltern, y plwyf cyfagos. Bûm yn ymgynghori â G. J. Williams ynghylch gwaith ymchwil i weithiau anghyhoeddedig y Catholigion Cymraeg, a phob cyfle a gawn byddwn yn ymweld â Llyfrgell Ganolog Caerdydd. Yno y gwelais am y tro cyntaf 'Y Drych Kristnogawl' yn llaw Llywelyn Siôn. Roedd G. J. Williams yn gyfrifol am yr Adran Gymraeg yng Ngholeg Caerdydd ar y pryd yn absenoldeb W. J. Gruffydd fel Aelod Seneddol dros y Brifysgol, a rhoddwyd ar ddeall i mi yn ystod un ymweliad â Bryn Taf, cartref G. J. Williams, fod W.J. yn ddigon digywilydd i dynnu dwy gyflog. Treuliais wyliau'r Pasg gartref yn y Cei, ac ymwelais â'r Llyfrgell Genedlaethol droeon i ddarllen a chopïo llawysgrifau'r pabydd Gwilym Pue o'r Penrhyn.

O Donyrefail y danfonais fy awdl orffenedig i Swyddfa'r Eisteddfod a oedd i'w chynnal yn Aberpennar gan roi dan sêl fy enw, cyfeiriad a rhif ffôn fy mrawd, Trefor a'i wraig, Maude. Roedd Trefor bellach wedi ailafael yn yr offeiriadaeth ac yn byw yn Hargrave, Caer. Toc wedi i mi adael Tonyrefail a chyrraedd Hargrave daeth D. R. Hughes, Ysgrifennydd Cenedlaethol yr Eisteddfod ar y ffôn yn holi amdanaf ac yn gofyn ai myfi oedd 'Y Marchog Gwyllt'. Atebais yn gadarnhaol, ac fe'm llongyfarchodd ar fod yn fuddugol yng nghystadleuaeth yr Awdl.

Pan ddaeth yr amser teithiais ar y trên o Gaer i Dreorci i aros gyda fy modryb, a bore drannoeth, sef dydd Iau, euthum ar y bws i Aberpennar. Wedi'r cadeirio, pwy ddaeth ymlaen ataf ond fy nghefnder, Syr Ben Bowen Thomas. Roedd wedi ei gyffwrdd yn fawr gan y digwyddiad ac fe ddywedodd, er mawr syndod i mi, 'Digon tebyg fod Owa Ben yn gwylio'. A'r rhyfel wedi dod i ben, bu yn fy holi am fy ngyrfa. Dywedais wrtho fy mod yn ddi-waith, ac awgrymodd mai da fyddai i mi fynd i Goleg Bangor i gael hyfforddiant fel athro. Cymerodd T. J. Morgan fi o'r neilltu ac awgrymodd y dylwn gynnig am swydd darlithydd yn yr Adran Gymraeg yng Ngholeg Caerdydd. Roedd awgrym fy hen athro yn ormod o her i mi.

Wedi'r cadeirio cefais fy ngwahodd i noson lawen yn hwyr y noson honno ac fe'm cyflwynwyd i'r gynulleidfa. Digwyddais ddweud wrth yr arweinydd na fedrwn aros tan y diwedd. Gwaeddodd yntau o'r llwyfan a fuasai rhywun mor garedig â rhoi llety i'r bardd buddugol y noson honno. Cododd un wraig ar ei thraed i gymeradwyaeth a chwerthin afreolus y gynulleidfa, sef (wedyn) Mrs R. T. Jenkins, gwraig yr hanesydd.

Drannoeth euthum ar y trên o Aberpennar i Dreorci at Bopa Jane gan fynd â'r Gadair Farddol gyda mi. Yn fy nisgwyl yng ngorsaf Treorci roedd Ann, merch Ben Bowen Thomas.

Yng Ngholeg y Brifysgol, Bangor

Cefais fy nerbyn i Goleg Bangor a llwyddais i gael llety yn 48 Holyhead Road. Yno yn lletya gyda mi roedd ymysg eraill, Aled Eames, yr hanesydd, a Dai Davies a ddaeth wedyn yn Brifathro Coleg y Bedyddwyr, Caerdydd.

Yn ystod y tymor cyntaf, a minnau bellach yn un ar ddeg ar hugain oed, cyfarfûm â merch gydnaws ugain oed, merch i bostfeistr o Swydd Efrog o'r enw Zonia Margarita North a aned yn Ormseby St. Margaret, swydd Norfolk ond a fagwyd yn ardal Heckmondwike, Swydd Efrog.

Pan gyfarfûm â Zonia roedd hi eisoes wedi graddio yn y Ffrangeg ac wedi ymroi i ddysgu Cymraeg. Yn Eisteddfod Myfyrwyr Bangor y flwyddyn honno cefais y fraint o fod yn llywydd, a chyflwynwyd fi i'r gynulleidfa gan yr arweinydd, Huw Jones (Y Parch. wedyn), wrth yr enw barddol 'Cock o' the North'. Roeddwn wedi bod yn gwneud ffrindiau â nifer o ferched yn fy amser, yn yr ysgol a'r coleg a phan oeddwn ar y fferm, ond roedd yr amser i chwarae o gwmpas wedi dod i ben. Y tro hwn roedd gwir ddifrifoldeb yn y garwriaeth. Roeddem ein dau yn yr Adran Hyfforddi Athrawon, a bu Zonia yn ymarfer dysgu yn Ysgol Gynradd Caernarfon a minnau yn Ysgol Dyffryn Ogwen, Bethesda. Arferwn i yn ystod yr awr ginio alw yn gyson i gael sgwrs ag R. Williams Parry a oedd yn byw yn ymyl yr ysgol. Ystyriwn hyn yn fraint fawr. Mae'r cerdyn Nadolig a'r llofnod 'R. W.

Parry, Pesta' a anfonodd ataf Nadolig 1946 yn drysor yn fy meddiant o hyd.

Yn ystod fy nhymor yng Ngholeg Bangor ysgrifennais nifer o erthyglau, un ar T. Gwynn Jones ar gais golygydd *Gwŷr Llên* a'r llall ar Gwilym Pue, 'Bardd Mair' i *Efrydiau Catholig* a olygid gan Saunders Lewis. Gorffennais gywiro proflenni'r mynegai i *Gerdd Dafod* Syr John Morris-Jones hefyd, gwaith a gyhoeddwyd gan Wasg Gomer.

Wedi eistedd yr arholiadau terfynol cynigiais am swydd yn athro Cymraeg yn Ysgol Ramadeg y Bechgyn, Rhiwabon. Anobeithiais am y swydd o weld pwy oedd yr ymgeiswyr eraill. Galwyd fi i mewn i'r cyfweliad, ac er mawr syndod i mi, fe gefais fod cyfaill pennaf fy ewythr, Ben Bowen, sef y Parch E. K. Jones, Brymbo yn aelod o'r bwrdd, ac fe holodd fi yn garedig. Cefais wybod fy mod wedi fy mhenodi i ddechrau yn y swydd ym Medi.

Yn fuan wedyn daeth neges frys i bennaeth Adran Addysg Bangor oddi wrth Brifathro Ysgol Uwchradd Porth Tywyn (Burry Port), Pen-bre nid nepell o'r Pwll lle y ganed fy nhad-cu, yn dweud bod eisiau athro Cymraeg arno. Swydd dros dro ydoedd, dros fis Mehefin hyd ddiwedd tymor yr haf, ac addawyd i mi dri mis o gyflog. Derbyniais y cynnig, a threfnais drwy fy nhad i aros gyda'i frawd, Myfyr Hefin, yn Coleshill Terrace, Llanelli.

Pan gyrhaeddais yr ysgol y bore cyntaf cefais ar ddeall ar unwaith fod rhyw ddrwg yn y caws. Roedd yr athrawes a oedd wedi dweud na fedrai ddal ymlaen tan ddiwedd y tymor wedi dychwelyd i'r ysgol ac yn bwriadu cymryd y gwersi a neilltuwyd imi yn ôl yr amserlen. Roedd y prifathro yn gynddeiriog ac ymddangosai yn hollol ddiymadferth. Wedi ymgynghori â'r Swyddfa Addysg yn Llanelli, er mawr syndod i mi, dywedwyd wrthyf i ddal i ddod i'r ysgol bob dydd, ac er na fyddai galw arnaf i ddysgu, y buaswn yn cael fy nhalu yn ôl y cytundeb. 'Taw piau hi,' oedd geiriau'r prifathro. Treuliwn bob dydd yn ei swyddfa a deuthum yn gyfeillgar iawn ag ef. Fe'm gwahoddai i'w dŷ yn aml, a chydag ef i gyngherddau o gwmpas, hyd yn oed cyn belled â Thre-gŵyr. Roedd y tâl ar ddiwedd y tymor fel manna o rywle. Ymadewais â'r ysgol, ac ni chefais unrhyw eglurhad ar y dryswch fyth.

Roeddwn wedi addo ers tro i Cynan y buaswn yn bresennol yng ngorsedd Eisteddfod Genedlaethol Bae Colwyn 1947 i gael fy urddo gan Wil Ifan, a threfnais gwrdd â Zonia yno. Yn ystod yr wythnos gwnaethom drefniadau i briodi yn Dewsbury, a phrynwyd modrwyau. Wedi'r Eisteddfod aethom â'n beiciau ar y trên i Aberystwyth, ac yna seiclo i Cross Inn i aros yn nhŷ'r ysgol lle roedd fy chwaer, Luned a'i gŵr ac Eleri'r ferch bellach yn byw. Oddi yno aethom am y dydd i'r Cei i weld fy nhad a'm mam.

Y drydedd wythnos o Awst roeddem yn sir Efrog yng nghartref Zonia. Priodwyd ni yn Swyddfa Gofrestri Dewsbury, 29 Awst a thrannoeth aethom ar y trên i'r Cei ar ein mis mêl a barhaodd am wythnos.

Ar staff Ysgol Ramadeg y Bechgyn, Rhiwabon

Roedd Ysgol Ramadeg y Bechgyn, Rhiwabon i agor ymhen wythnos a llwyddwyd i gael llety mewn tŷ o'r enw Dunbar, yn Rhiwabon. Yn fuan wedi i mi gychwyn fel athro, gwahoddwyd Zonia i ddysgu ran amser yn Ysgol Ramadeg y Merched. Aeth i weld y brifathrawes, a heb unrhyw fath o gyfweliad danfonwyd hi'n syth a dirybudd i gymryd dosbarth o ferched. Wedyn fe gafodd swydd lawn amser yn Ysgol Ramadeg y Merched, Grove Park, Wrecsam.

Nid oeddem yn hapus yn Dunbar, a buom yn gwneud ein gorau i chwilio am dŷ ar rent, a rhoesom ein henwau i lawr am dŷ cyngor ym Mhen-y-cae. Ond cawsom gynnig rhannu tŷ â phâr ifanc, Emrys a Dilys Parry, sef Tegfan, Hill Street, Y Rhos, tŷ gwag gweinidog Mynydd Seion. Y flwyddyn wedyn, Hydref 1948 ganed mab i Emrys a Dilys ac i ninnau yr un wythnos.

Enillodd fy mrawd, Euros, y Goron yn Eisteddfodau Cenedlaethol Pen-y-bont (1948) a Chaerffili (1950). Fe wyddwn i ei fod yn barddoni, ond ni wyddwn i na neb o'r Boweniaid ei fod yn cystadlu, ac ni roddwyd gwybod i neb ohonom ymlaen llaw ei fod yn fuddugol. Cadwodd y cyfan yn gyfrinach ar y ddau achlysur, ac nid oedd neb o'r teulu yn bresennol yn y seremonïau.

Nadolig 1948 roeddem ni a'n baban newydd, Rhys,

ar ymweliad â pherthnasau Zonia yn sir Efrog, ac ar 27 Rhagfyr 1948 daeth neges brys yn dweud bod fy nhad wedi syrthio'n farw ar y ffordd fawr yn y Cei. Aethom ar ein hunion i'r Cei, a chyrhaeddodd holl aelodau'r teulu a pherthnasau pell ac agos y naill ar ôl y llall i'r angladd.

Heblaw'r claddu, roedd yn rhaid gwagio tŷ'r gweinidog cyn gynted ag y byddai modd, a threfnu cartref i'm mam a oedd wedi mynd yn ffwndrus a'i chof yn dechrau pallu ac a oedd heb fawr o foddion cynhaliaeth. Rhannwyd yr eiddo a'r dodrefn yn y man a'r lle rhwng y meibion a'r merched, a phenderfynwyd ar rota rhwng Bopa Jane, Euros a'i wraig a Zonia a minnau i roi cartref i mam. Roedd yn rhaid i ni hefyd gymryd gyda ni fy nghi defaid a fuasai yng ngofal fy rhieni oddi ar yr amser yr oeddwn ar y fferm.

Roeddwn, wedi imi ddod i Riwabon, yn mynychu cyfarfodydd y Blaid Genedlaethol yn gyson ac wedi dod yn gyfeillgar iawn â Lewis Valentine, a weinidogaethai yn y Rhos, ac er mawr syndod i mi, gofynnwyd i mi fod yn ymgeisydd y Blaid yn yr etholaeth. Mynychwn ysgolion haf y Blaid ac roeddwn yn bresennol yn y wledd a drefnwyd yn y Park Hotel, Caerdydd, 23 Hydref 1948, i anrhydeddu Eamon de Valera. Ynddi siaradwyd gan De Valera, Saunders Lewis, Gwynfor a J. E. Jones. Cafwyd datganiad o gerdd Gwenallt, 'Cymru', gan Lisa Rowlands i gyfeiliant Mrs A. O. H. Jarman ar y delyn. Mae bwydlen y wledd gennyf o hyd ac arni ceir llofnod De Valera, Frank Aiken, Saunders Lewis, Gwynfor Evans, Ben Bowen Thomas, J. E. Daniel a Catherine Daniel, G. J. Williams, J. Kitchener

Davies, D. J. Williams, Kate Roberts, Wynne Samuel, J. E. Jones ac Olwen Jones.

Pennwyd dyddiad yr Etholiad Cyffredinol, sef 23 Chwefror 1950, a phenodwyd Mr Ambrose Thomas o'r Ponciau yn asiant i mi. Nid oeddem yn gallu fforddio swyddfa ac addaswyd ein hystafell ffrynt yn Tegfan, a chafwyd ffôn dros dro i mewn. Bu'r ymgyrch yn dipyn o laddfa i mi ac i Zonia, ond cynigiodd Euros a Neli gymryd mam oddi wrthym am gyfnod. Blwyddyn yn ddiweddarach, sef 1 Chwefror 1951, bu hi farw, ac fe'i claddwyd ym medd fy nhad ym mynwent Ceinewydd.

Daliodd Robert Richards y sedd i Lafur gyda 32,042 o bleidleisiau a chefais innau 960. Cyhoeddwyd Etholiad Cyffredinol arall ymhen llai na dwy flynedd i'w chynnal 25 Hydref 1951, ond gwrthodais sefyll, a dewiswyd Dan Thomas i fynd ymlaen â'r criwsâd.

Gyda phenodi Dewi A. Thomas, hen gyfaill dyddiau Coleg i mi, yn weinidog ym Mynydd Seion, bu'n rhaid i ni chwilio am dŷ arall ar rent, a llwyddwyd i gael un yn 13 Aberderfyn, Y Ponciau. Yn ystod yr wythnosau cyntaf wedi symud i mewn roedd hi'n frwydr ddiorffwys rhyngom ni a'r cannoedd o chwilod du a oedd yn bla yn y tŷ. Diolch i *borax* concwerwyd y pla du hwnnw.

Crafwyd digon o arian i brynu car ail-law, bregus drwy randaliadau, a chawsom wedyn nad oeddem yn gallu fforddio ei redeg, a bu am chwe mis yn segur yn ein garej. Ym 1951 ganed yr ail fab, Steffan, ac wedi iddo ef ddechrau yn yr Ysgol Gymraeg yn Wrecsam, cafodd Zonia swydd mewn ysgol breifat yng Nghroesoswallt lle'r oedd Mrs Selyf Roberts yn dysgu. Bu'r ychwanegiad at goffrau'r teulu yn foddion i ni roi ein meddwl ar brynu tŷ. Chwiliwyd o gwmpas, a chan fod y ddau fachgen yn mynychu'r Ysgol Gymraeg yn Wrecsam dewiswyd tŷ cymharol newydd, sef 9 Pant Olwen, Gresford, ac fe aeth Zonia i ddysgu am gyfnod unwaith eto, yn gyntaf yn Rossett ac yna, unwaith eto, yn Ysgol Ramadeg y Merched, Grove Park, Wrecsam lle daliodd ati nes geni ein merch, Nia Mererid, 1 Medi, 1960.

Tua'r amser yma ysgrifennais nifer o erthyglau ar lenorion deau Ceredigion i'r *Gwyddoniadur Cymreig* ar wahoddiad William Llewelyn Davies, un o'r golygyddion, ac roeddwn ar hyd yr amser yn dal i ymchwilio bob cyfle a gawn i hanes a gwaith llenyddol y Catholigion yn Oes Elizabeth. Ymwelwn â llyfrgelloedd colegau, trefi, eglwysi, mynachdai a lleiandai ar draws Lloegr a Chymru. Treuliais ddyddiau lawer ym 1952 trwy garedigrwydd y Canon H. A. Moreton yn gwneud catalog o'r llyfrau a dducpwyd o Goleg y Cwm, Llanrhyddol a oedd ynghadw yn Llyfrgell Eglwys Gadeiriol Henffordd. Roedd y Canon yn gydnabyddus â helynt fy mrawd, Trefor, a byddai yn fy ngwahodd i'w dŷ fin nos. Cefais hefyd ganiatâd yr Abad James Oakley i ymweld ag Abaty Belmont i weld copi llawysgrif William Dafydd Llywelyn o Langynidr o waith Robert Gwyn, 'Y Lanter Gristnogawl'. Daethai bodolaeth y llawysgrif bwysig hon i'r golwg trwy ymchwil W. Alun Mathias, hen gyfaill coleg i mi a darlithydd yng Ngholeg y Brifysgol, Caerdydd. Yn ei ateb, dyddiedig 26 Ionawr, 1952, i'm cais i weld y llawysgrif cyfeiria'r abad at ymweliad cyntaf Alun â llyfrgell yr abaty:

Thank you for your letter. I shall certainly be pleased to let you peruse the Gwyn MS at any time you care to call here. It is a thick volume but very legibly written and in good condition save some dog's-earing towards the end. When Mr Mathias was here last Michaelmas he spent some four hours taking notes from it.

Mewn sgwrs ag R. Geraint Gruffydd y digwyddais ei gwrdd yn y Llyfrgell Brydeinig yn Llundain y deuthum i wybod gyntaf fod W. Alun Mathias wedi dod o hyd i lawysgrif Robert Gwyn yn Abaty Belmont. Bu datguddiad Alun a'm hadnabyddiaeth o'r llawysgrif yn foddion i mi newid yn llwyr fy amgyffrediad o lafur llenyddol y reciwsantiaid yng Nghymru, ac ym 1953 cyflwynais beth o ffrwyth fy ymchwil am radd MA Celteg i Brifysgol Lerpwl. Arholwyd fi gan Henry Lewis, Abertawe a chan bennaeth yr Adran Geltaidd sef Melville Richards, a chapiwyd fi 3 Gorffennaf yn neuadd y Brifysgol Lerpwl.

Pan benodwyd Thomas Parry ym 1953 yn Brif Lyfrgellydd y Llyfrgell Genedlaethol yn Aberystwyth a dyrchafu Caerwyn Williams yn Athro Adran y Gymraeg Coleg y Brifysgol, Bangor yn ei le, daeth Alun Llywelyn-Williams i'm gweld. Roeddem wedi bod yn gohebu â'n gilydd yn gyson er dyddiau coleg, a byddai'n gofyn am fy sylwadau ar rai o'i gerddi cyn eu cyhoeddi. Byddai hefyd yn fy fflangellu am fy nhawedogrwydd awenyddol. Ond ei gais y tro hwn oedd i mi gynnig am swydd darlithydd yn Adran y Gymraeg, Bangor. Roeddwn, cyn mynd i Riwabon wedi cynnig am swydd darlithydd yn Adran Efrydiau Allanol Bangor pryd y penodwyd Frank Price Jones. Rwy'n credu mae'r ffaith i mi gael fy ngwrthod y tro hwnnw a barodd i mi beidio â dilyn awgrym Alun.

Ymgyrchwyd yn llwyddiannus ym 1959 i sefydlu ysgol feithrin yn Wrecsam ac yna dechreuwyd ymgyrch i gael ysgol uwchradd ddwyieithog, a gweithredwn fel ysgrifennydd y ddau ymgyrch. Cymerais ddosbarthiadau nos Cymraeg i ddysgwyr yng Ngholeg Technegol Wrecsam, a darlithiais ar hanes y ddrama a chynhyrchu a llwyfannu'r ddrama *Llywelyn Fawr*, Thomas Parry yn y Coleg. Pan ddaeth yr Eisteddfod Genedlaethol i Ddyffryn Maelor ym 1961, penodwyd Lewis Valentine yn gadeirydd y Pwyllgor Llên a minnau yn ysgrifennydd. Awgrymais 'Cilmeri' yn destun Awdl y Gadair, ond gwrthodwyd ef gan y sefydliad Eisteddfodol. Cynan oedd yn cael y bai. Gyda chydweithrediad prifathro a staff Ysgol Rhiwabon trefnwyd arddangosfa o Lenyddiaeth Powys yn y Babell Lên.

Yn ystod yr awr ginio byddwn yn ymneilltuo i weithdy'r ysgol i adeiladu canŵ o bren a chynfas a model o long hwyliau ar gyfer ein gwyliau haf a dreuliem, gan amlaf, yn gwersylla yn y Cei, neu dramor.

Pan ymaelodais gyntaf â staff Ysgol Rhiwabon, y Cymry Cymraeg yn unig a gâi wersi yn yr iaith, a myfi yn unig oedd yn dysgu Cymraeg. Ond awgrymais i'r prifathro, J. T. Jones, mai da o beth fyddai rhoi gwersi Cymraeg i weddill yr ysgol. Gyda hyn mewn golwg penodwyd Alun Lloyd yn athro cynorthwyol, a bu llwyddiant mawr ar y gwaith. Ymadawodd ef am Goleg Caerfyrddin a chymerwyd ei le gan Geraint Edwards, Llanuwchllyn. Erbyn yr amser yr ymadawodd ef i fod yn athro Cymraeg Ysgol Uwchradd Dolgellau, buasai cynnydd yn nifer y dosbarthiadau Cymraeg a phenodwyd dau athro newydd, y nofelydd, Richard Cyril Hughes a'r bardd, Bryan Martin Davies.

Gyda chymorth y ddau athro newydd sefydlwyd Cymdeithas Owain Cyfeiliog i athrawon y cylch a ymddiddorai mewn llenyddiaeth a dysg Gymraeg. Roeddem yn cyfarfod yn nhafarn yr Hand, Y Waun. Gofynnwyd i mi draddodi'r ddarlith agoriadol, a dewisais sôn am draddodiad llenyddol Powys. I'n cinio agoriadol a gynhaliwyd wythnos Eisteddfod Genedlaethol Dyffryn Maelor, ein gŵr gwadd oedd G. J. Williams, un o'r beirniaid yn yr Eisteddfod honno. Yn y Pumdegau yn ystod ein teithiau gwersylla ar y Cyfandir ymwelyd â Llyfrgelloedd y Vatican, Coleg Seisnig Rhufain a'r Sorbonne ac ag eglwysi a dinasoedd adnabyddus i mi oherwydd eu cysylltiadau â'r Catholigion Cymreig, alltud.

Roeddwn wedi cyhoeddi nifer o erthyglau ar lenorion a llenyddiaeth mewn gwahanol gylchgronau yn enwedig yng Nghylchgrawn y Llyfrgell Genedlaethol ac wedi cael cydnabyddiaeth am fy nghyfraniad i astudiaethau Reciwsantaidd gan y Brifysgol ym 1968 pryd y rhoddwyd i mi Wobr Goffa Ellis Griffith.

Ymuno â'r Weinyddiaeth

A minnau wedi bod yn dysgu'n gyson er 1947, llwyddais ym 1961 i gael swydd yn y Weinyddiaeth Addysg fel Arolygydd Ysgolion i gymryd lle Cassie Davies a oedd newydd ymddeol. Cefais wybod bod y swydd yn wag gan R. Wallis Evans, wrth deithio yn ôl yn y car o'r Amwythig lle roeddem wedi bod yn cymharu safonau marcio papurau arholiadau y Cyd-bwyllgor Addysg ar ran y Weinyddiaeth Addysg.

Trosglwyddais ysgrifenyddiaeth yr ymgyrch dros Ysgol Uwchradd Ddwyieithog i Reg Kendall, aelod o staff Coleg Cartrefle. Ni fedrwn goelio fy lwc, pan glywais oddi wrth y Prif Arolygydd, Wynne Lloyd ddechrau tymor yr Hydref mai yng Nghwm Rhondda yr oeddwn i gychwyn ar fy ngwaith newydd, toc wedi'r Nadolig. Gwelsom yn y *Western Mail* fod tŷ ar rent ar gael ym Mhen-y-lan, Caerdydd, sef 38 Dorchester Avenue. Gwnaethom gais llwyddiannus i'w gael, ond roedd hi'n ofynnol i ni ei gymryd ar rent yn syth, a chan fod tymor yr Hydref ar gychwyn, barnwyd mai doeth fyddai i Zonia a'r plant symud i lawr i Gaerdydd ac i'r bechgyn ddechrau yn ysgolion y ddinas ym Medi. A dyna a fu. Dechreuodd Rhys yn Ysgol Howardian a Steffan yn Ysgol Gynradd Gymraeg Bryn-taf.

Gwerthwyd y tŷ yn Gresford a bûm innau yn lletya yn Rhiwabon dros dymor yr Hydref gan ymweld â Chaerdydd yn weddol gyson ar y penwythnosau. Yn y gwanwyn prynwyd tŷ-unllawr yn Heol y Wenci,

Rhiwbeina, ac fe'i henwyd Perthygwenyn ar ôl enw fferm yn ymyl Ceinewydd. Yn y tŷ hwn y ganed ein merch ieuengaf, Siân Arianwen, 8 Tachwedd 1963.

Cefais ymhen byr amser mai swydd digon undonog, blinedig a chaethiwus i'r meddwl oedd arolygu, ac roedd cyflwr y rhan fwyaf o ysgolion y Rhondda, nid y dysgu fel y cyfryw, yn digalonni dyn, a phrofwyd cryn lawer o rwystredigaeth. Teimlwn wedi fy ynysu a gwelwn eisiau cyfeillach athrawon Ysgol Rhiwabon. Roedd unigrwydd ac arwahanrwydd yn brofiad dyddiol wrth grwydro'r wlad. Digwyddais gwrdd â'm hen brifathro, Abraham Jenkins, Tonyrefail, ymhen ychydig wedi i mi gychwyn yn y gwaith, a dywedodd wrthyf. 'Rwy newydd glywed eich bod yn *dramp* 'nawr!' Gwir pob gair.

Ym 1966 gwahoddwyd fi i ddarlithio yn Saesneg ar y pabydd alltud, Morys Clynnog (1821-81) i Gymdeithas Hanes Sir Gaernarfon. Yn ystod y ddarlith soniais am gynllun Morys Clynnog i ymosod yn filitaraidd ar Brydain yn ystod teyrnasiad Elizabeth, a phan ymhelaethais a dweud mai un o arweinwyr milwrol yr ymgyrch arfaethedig oedd Jacobo Boncompagno, sef plentyn siawns y pab Gregory XIII o'r amser yr oedd yn fyfyriwr, bu ffrwydrad o chwerthin, a neb yn mwynhau'r hwyl yn fwy na rhes o offeiriaid pabyddol yng nghorff y gynulleidfa. Ond aeth copi o Drafodaethau'r Gymdeithas i ddwylo swyddogion y *Catholic Record Society*, a chefais lythyr oddi wrthynt yn amau fy ngosodiad ynghylch tras Jacobo Boncompagno gan ofyn ar ba sail roeddwn yn gwneud yr haeriad. Atebais gyda'r troad yn nodi'r gyfrol, y tudalen a'r llinell, ac ni chlywais air oddi wrthynt byth wedyn.

Hyd y gallwn ar fy nheithiau o gwmpas ysgolion y Rhondda, byddwn yn troi i mewn i weld fy modryb, Jane, yn Nhreorci. Roedd hi wedi bod yn weddw er 1948, ac roedd hi bellach dros ei hwyth deg a phrin yn gallu ymdopi ar ei phen ei hun. Er ei bod yn amharod iawn i adael ei chartref, deuai atom i fyw i Riwbeina pan oedd y gaeafau ar eu gwaethaf.

Heblaw ysgolion roeddwn yn gyfrifol hefyd am arolygu clybiau ieuenctid, dosbarthiadau allanol y Brifysgol a Mudiad Addysg y Gweithwyr yng nghymoedd gorllewin Morgannwg ac yng Ngwent. Roeddwn yn gwrthod coelio fy llygaid o weld rhyw ugain o weithwyr yn dod i mewn i ddosbarth nos a phob un yn cario gwydryn o gwrw o dafarn ar draws y ffordd neu o weld offeiriad o athro, wedi i mi dorri i mewn i'w ddosbarth tenau yn ddirybudd a'm cyflwyno fy hun fel arolygydd, yn penderfynu gohirio'r dosbarth. Yr un oedd y diflastod a'r syndod o ddal gofalwr clwb ieuenctid yn eistedd yn ei swyddfa yn yfed gwydraid o gwrw gan adael y plant i fwrw ymlaen ar eu liwt eu hunain, neu ofalwr ysgol yn cynnal gwasanaeth y bore yn absenoldeb prifathro difraw a oedd yn gyson yn cyrraedd yn hwyr i'w waith.

Nid oedd yn fy ngalwedigaeth newydd unrhyw le i unigolyddiaeth ac amheuid unrhyw frwdfrydedd ac ymroddiad fel uchelgais. Ni ddeuai fawr ddim o unrhyw gynadledda hyd y gwyddwn i, ac roedd biwrocratiaeth yn rhemp. Yr ymadrodd a glywid yn gyson o enau'r penaethiaid oedd: *'Our political masters'*.

Ond roedd cyfrifoldebau eraill gennyf hefyd. Fel arbenigwr Cymraeg i lenwi'r bwlch a grewyd gydag ymadawiad Cassie Davies y penodwyd fi, a golygai hyn wneud arolwg ar y Gymraeg yn achlysurol mewn unrhyw Ysgol Uwchradd yng Nghymru. Penodwyd fi yn ysgrifennydd y Panel Cymraeg, a chefais drwy gydol fy amser yn y Weinyddiaeth, ganiatâd a chefnogaeth arbennig gan Wynne Lloyd, y Prif Arolygydd, i gyfieithu i'r Gymraeg neu i olygu llawlyfrau ar goginio ac ar wyddoniaeth a chael gan y Cydbwyllgor Addysg eu cyhoeddi, megis *Y Gwyddonydd Bach* (4 cyfrol) *Y Gwyddonydd Ifanc* (2 gyfrol, 1975 a 1976), *Coginio* (3 cyfrol, dyddiad y drydedd gyfrol yw 1976). Bûm hefyd ym 1971 mewn gohebiaeth â Chyhoeddwyr Longman, Harlow yn ceisio eu caniatâd i gyfieithu un o'u cyhoeddiadau, *'Basic Needlework'* i'r Gymraeg, ond ni lwyddwyd.

Cynheliais amryw gyrsiau ar lenyddiaeth i athrawon a darlithwyr, a golygu a chyhoeddi'r darlithiau mewn nifer o gyfrolau, e.e. *Y Traddodiad Rhyddiaith* (3 cyfrol, 1970, 1974, 1976), *Ysgrifennu Creadigol* (1972), a'r *Gwareiddiad Celtaidd* (1987). Cynhaliwyd y cwrs ar y gwareiddiad Celtaidd yn Neuadd Reichel, Bangor cyn belled yn ôl â 1973, ac yn ôl y cytundeb rhwng y Weinyddiaeth a'r darlithwyr roedd y darlithoedd i gyd i'w cyhoeddi. Ond yn anffodus cyfran yn unig o'r darlithoedd a draddodwyd a gyhoeddwyd yn y gyfrol. Oherwydd marwolaeth Melville Richards yn fuan wedyn, ni chafwyd y fraint o gyhoeddi ei ddarlith wych ef ar 'Parhad y Traddodiad Cyfandirol ym Mhrydain'. Mynegodd D. P. Kirby ei ddymuniad i mi beidio â chyhoeddi fy nghyfieithiad o'i ddarlith ef ar 'Effaith yr Eingl-Saeson', gan ei fod bellach yn amau dilysrwydd ei ddehongliad o waith Gildas, *De Excidio Britanniae*. Traddodwyd darlithoedd gwerthfawr eraill hefyd yn ystod y cwrs, ar bynciau megis, 'Yr Ymfudo i Lydaw', 'Cymru hyd 800 OC' a'r 'Gyfundrefn Gymdeithasol yn y gwledydd Celtaidd', ond ni welwyd sgriptiau'r darlithoedd hyn gan y golygydd er iddo ofyn yn daer amdanynt.

Ym 1967 dosbarthwyd cylchlythyr gan yr Adran Addysg i arolygwyr yn gofyn iddynt awgrymu projectau ymchwil a fyddai'n hwyluso dysgu pynciau. Cyflwynais un o dan y teitl *'Outline of proposed Research Project — Introducing Cynghanedd by programmed instruction to students of Welsh Literature with the aid of Teaching Machines and tape recorders'*.

Gwrthodwyd yr awgrym, ond manteisiais ar y cyfle adeg un cwrs i athrawon i egluro'r cynllun, a chafodd gymeradwyaeth frwd. Flynyddoedd wedyn, a minnau'n olygydd *Y Faner*, cyhoeddais ugain o wersi yn amlinellu'r cwrs yn y cylchgrawn hwnnw, ac yn ddiweddarach ym 1977, bu Gwasg y Sir mor garedig â chyhoeddi'r gwersi yn gyfrol a ymddangosodd o dan y teitl *Bwyd llwy o badell awen*.

Ym 1970 golygais destun 'Gwasanaeth y Gwŷr Newydd' Robert Gwyn (1580), sef rhan o 'Y Lanter Gristnogawl', llawysgrif a oedd bellach wedi'i symud o Abaty Belmont i'r Llyfrgell Genedlaethol, ac fe'i cyhoeddwyd gan Wasg y Brifysgol.

Hydref 20, 1971 gwahoddwyd fi gan Is-bwyllgor

Llyfrau Cymraeg Pwyllgor Addysg Sir Feirionnydd i olygu *Atlas Meirionnydd* ar gyfer ysgolion, a chefais ganiatâd y Prif Arolygydd i wneud y dasg addysgol honno hefyd. Trwy gydol yr amser yr oeddwn yn arolygydd gweithredwn fel cynrychiolydd y Weinyddiaeth ar Bwyllgor Llenyddiaeth Cyngor y Celfyddydau, ac ym 1970 fe'm cyfetholwyd yn aelod o Lys Llywodraethwyr Llyfrgell Genedlaethol Cymru.

Roedd gennyf ddiddordeb mawr yn yr ymgyrch i sefydlu ysgolion meithrin Cymraeg. Yng Ngorffennaf 1964 euthum i'r Risca, Gwent i annerch cynulleidfa ar y priodoldeb o agor dosbarth meithrin Cymraeg yn yr ysgol gynradd. Ymhen yr wythnos roeddwn yn Eisteddfod Genedlaethol Abertawe, a digwyddais gael sgwrs â'r Athro Henry Lewis. Dywedais wrtho i mi yr wythnos gynt fod yn sefydlu dosbarth meithrin Cymraeg yn Risca. Ei unig sylw oedd 'Pam rydych yn gwastraffu'ch amser yn gwneud y fath beth!'

Yn ystod ein harhosiad yn Rhiwbeina, roeddwn yn Gadeirydd Pwyllgor Rhieni Ysgol Gyfun Rhydfelen a agorwyd ym Medi 1962. Mae'r Barnwr Dewi Watcyn Powell yn y gyfrol *Rhydfelen, Y Deng Mlynedd Cyntaf*, yn cyfeirio ataf fel un a arweiniodd y frwydr dros sefydlu'r ysgol. Nid yw hyn yn wir. Roedd yr ymgyrch drosodd erbyn i mi ddod i fyw i Gaerdydd, a lleoliad yr ysgol wedi'i ddewis, ond roedd peth amheuaeth ynghylch yr enw Rhydfelin. Wedi ymgynghori â'r Athro G. J. Williams ysgrifennais memo at y Prif Arolygydd yn mynnu mai'r ffurf gywir ar yr enw oedd Rhydfelen. Cysylltodd ef â Chyfarwyddwr Addysg Dwyrain

Teulu Tad-cu a Mam-gu, Thomas a Sarah Griffiths. Blaen o'r chwith i'r dde: Sarah Ann, Tad-cu, Mam-gu; Cefn: Thomas, Mary Jane, John, Ada (fy Mam), Dafydd. (Tynnwyd ym 1909).

Thomas Bowen a'i ddau fab ieuengaf, Ben Bowen a Thomas (fy Nhad yn ddeng mlwydd oed). (Tynnwyd ym 1892).

Pwll Glo Tynybedw lle y gweithiai fy nau dad-cu a'u meibion.
(Mewnosodiad) Fy Nhad yn löwr.

Brodyr a Chwiorydd fy Nhad. Blaen o'r chwith i'r dde: Mary, Thomas (fy
Nhad), Margaret. Cefn: Rachel, Christopher, Ann, Dafydd (Myfyr Hefin).
(Tynnwyd ym 1909).

Myfyrwyr Coleg Coffa Aberhonddu, 1908. Fy Nhad yw'r cyntaf ar y chwith yn y rhes gefn.

Fy Nad a'm Mam a'r meibion hynaf, (o'r chwith) Euros, Thomas, Trefor. (Tynnwyd ym 1909).

Luned a Geraint.
(Tynnwyd ym 1917).

Gyferbyn Uchod:
Towyn, Eglwys yr
Annibynwyr, Ceinewydd.

Gyferbyn Isod:
Y teulu ym 1925: Blaen:
Geraint, Fy Mam, Nesta, Fy
Nhad, Luned. Cefn: Trefor,
Euros, Thomas.

Ceinewydd yn y Dauddegau.

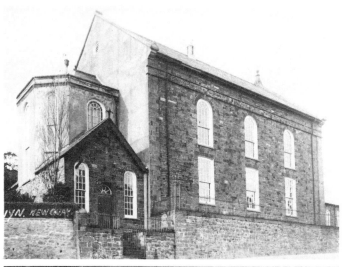

Fy Mam a'r plant ieuengaf, Luned, Geraint, Nesta a Iarlles. (Tynnwyd ym 1928).

Geraint yn ddeunaw oed.

Tîm pêl-droed Ysgol Sir Aberaeron 1932-33. Geraint yw'r ail o'r chwith yn y rhes flaen.

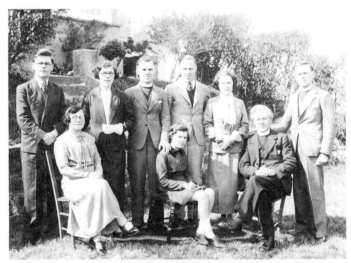

Y teulu ym 1936: Blaen: Fy Mam, Iarlles, Fy Nhad. Cefn: Geraint, Nesta, Euros, Thomas, Luned, Trefor.

Aelodau Cymdeithas Gymraeg Coleg y Brifysgol, Caerdydd.

Cadeirio Geraint yn Eisteddfod Genedlaethol Aberpennar 1946.

Teulu Zonia. (Tynnwyd y llun ym 1940).

Llun priodas Geraint a Zonia. (Tynnwyd ym 1947).

Geraint yn 35 oed. (Tynnwyd y llun ar gyfer yr ymgyrch etholiadol yn Wrecsam ym 1950).

Staff Ysgol Ramadeg y Bechgyn, Rhiwabon ym 1960.

Darllen beirniadaeth yr Awdl yn yr Eisteddfod Genedlaethol.

Geraint yn llywyddu Gorsedd Eisteddfod Genedlaethol Caerdydd, 1978.

Tremlyn, Tal-y-llyn o'r awyr.

Y Plant, Rhys, Nia Mererid, Siân Arianwen a Steffan.

Yng Ngorsedd Boscawen Un ym 1978 yn dathlu hanner canmlwyddiant Gorsedd Cernyw.

Gyferbyn Uchod:
Dadorchuddio beddfaen Llywelyn ein Llyw Olaf yn Abaty Cwm-hir ym 1978.

Gyferbyn Isod:
Cofio Llywelyn ein Llyw Olaf wrth ei Gofeb yng Nghilmeri ym 1978, Gwynfor Evans yn annerch a Geraint yn llywyddu.

Gyda hoelion wyth yr Eisteddfod Genedlaethol yn Eisteddfod Caernarfon 1979.

Yng ngorsedd Pors an Breton, Kemperle yn gorseddu Gwenc'hlan yn Dderwydd Mawr Gorsedd Llydaw ym 1979.

Zonia a Geraint gyda Winifred Ewing ar lwyfan y Mod yn Stornoway ym 1979.

Arlywydd Awstria a Geraint yn Hallein, Salzburg ym 1980.

Un o gyfarfodydd ymgyrch Madryn ar faes Eisteddfod Genedlaethol a Dafydd Elis Thomas yn annerch.

Yn yr Oireachtas yn An Cheathrú Rua, Conamara ym 1983. Yn y llun gwelir Geraint, Zonia, Emyr Jenkins, Cyfarwyddwr yr Eisteddfod, Mrs Jenkins a'r ddwy ferch a Gwynn Tre-garth.

Ar fwrdd llong yng ngenau'r afon Yangtze Kiang.

Yn Vancouver, Canada ym 1984.

Cael croeso ym mhentref Nava Pura yn yr India ym 1982.

Yn nyffryn yr Amazon ym Mheriw ym 1986.

Yr Hen Reithordy, Tal-y-llyn.

Morgannwg, a gweithredwyd yn unol â'r memo. Yng nghyfarfod cyntaf y Pwyllgor Rhieni fe ofynnais gwestiwn, — A oes unrhyw un yn y gynulleidfa yma heno yn gallu dweud yr hyn yr wyf i yn mynd i ddweud yn awr, sef bod ei hen dad-cu wedi ei eni yn y plwyf yma, sef plwyf Eglwysilan? Ni chododd neb ei law. Roedd G. J. Williams a drigai yng Ngwaelod-y-garth, pellter o ryw dair milltir o'r ysgol, yn gorfoleddu o weld sefydlu'r ysgol, ac wedi marw G. J. Williams trosglwyddodd Mrs Williams nifer o'i lyfrau i lyfrgell yr ysgol. O ddisgyblion Ysgol Gynradd Bryn-taf a lwyddodd i basio'r arholiad 11+, Steffan, fy mab, yn unig a ddewisodd fynd i Ysgol Rhydfelen y flwyddyn yr agorodd yr ysgol. Ond gwelwyd newid mawr yn yr ail flwyddyn.

Yn Rhiwbeina roedd Zonia a minnau yn aelodau o Bwyllgor a ymgyrchai i sefydlu Ysgol Gynradd Gymraeg yn y cylch. Gwrthodai'r Pwyllgor Addysg ymateb yn gadarnhaol i bob cais swyddogol. Felly, haf 1964 euthum i'n bersonol i weld y Cyfarwyddwr Addysg gan ddeisyf yn daer arno i gychwyn dosbarth Cymraeg yn ysgol gynradd Llanisien-fach a oedd ar y pryd yng ngofal Mrs Cliff Bere, merch Ellis Evans, athro Cymraeg Ysgol Tytandomen y Bala. Addawodd y byddai. A dyna a fu. Agorwyd y dosbarth 1 Medi, 1964 i blant 4 oed a throsodd, a'r athrawes oedd Non Rees. Roedd fy merch, Nia, yn digwydd bod yn bedair oed y diwrnod hwnnw, a chafodd fynediad i'r dosbarth y diwrnod cyntaf.

Rhywbryd yn ystod haf 1965 daeth y Prif Arolygydd i'm hystafell yn y Swyddfa Addysg gan gwyno ei fod wedi methu darbwyllo neb i fynd yn arolygydd i Sir Feirionnydd. Fe ddywedais wrtho fy mod i yn fodlon mynd, a gweithredwyd ar hynny yn ddiymdroi.

Yn ôl i Feirionnydd

Yn ystod gwyliau'r haf aethom fel teulu ar daith drwy Feirionnydd i chwilio am dŷ. Digwyddodd i ni gwrdd â hen ffrind i mi o gyfnod y rhyfel pryd roeddwn yn gweithio ar y tir ym Mhenllyn, sef Bryn Davies, Pantyneuadd, Y Parc. Dywedodd wrthyf fod tŷ gweinidog Capel y Parc yn wag a bod Pwyllgor Trefn y Cwrdd Misol yn bwriadu uno Capel y Parc a gofalaeth Llanuwchllyn ond bod y gweinidog presennol am fyw yn y Parc. Addawodd ohebu â mi, a chefais wybod ganddo wedyn nad oedd dim wedi dod o'r bwriad i uno, bod y tŷ gweinidog yn dal yn wag a bod croeso i ni fyw yno, os dymunem.

Ymadawsom â Chaerdydd ym mis Medi, a bu cryn orfoledd yn y car wrth i ni groesi Pont-ar-Ddyfi, canys edrychem ymlaen fel teulu i gael byw am y tro cyntaf mewn cymuned Gymraeg a minnau i adnewyddu fy nghysylltiad â thir Penllyn a'i phobl ac ymdoddi unwaith eto i'r gymdeithas wledig y cefais y fraint o'i hadnabod gynt. Roedd Zonia hefyd am fanteisio ar y sefyllfa i ymarfer mwy â'r Gymraeg yn naturiol yn y gymdeithas.

Penderfynwyd ym 1965 wahodd yr Eisteddfod Genedlaethol i'r Bala. Gofynnwyd i mi, yn ychwanegol at olygu'r cyhoeddiadau swyddogol, ysgrifennu'r rhaglith i'r rhaglen, a dyma a ddywedais:

'Mae Eisteddfod Genedlaethol 1967 yn gyfle iti, Gymro, ddod i adnabod un o froydd hynotaf dy wlad.'

Ym 1966 cymeradwywyd fy nghais i'r Weinyddiaeth i ymweld ag Israel i wneud arolwg o sefyllfa'r iaith Hebraeg yn y gyfundrefn addysg yno. Am ryw reswm cynigiwyd i mi ddau basport, un i Israel a'r llall i Jordan. Wedi cyrraedd Jeriwsalem cefais groeso tywysogaidd gan y Swyddfa Addysg yno, a chyflwynais i'r pennaeth argraffiad Saesneg o'r *Bywgraffiadur Cymreig* a llofnod Elwyn Davies, Ysgrifennydd Addysg Cymru arno. Bûm yn ymweld â'r colegau, y dosbarthiadau Hebraeg i fewnfudwyr Iddewig o wahanol barthau'r byd ac i'r milwyr yn y lluoedd arfog, a gofynnwyd i mi annerch y staff a'r plant mewn sawl ysgol seciwlar a chrefyddol. O ailedrych ar yr adroddiad ysgrifenedig swyddogol a wneuthum wedi dychwelyd, roeddwn, mae'n amlwg, yn fawr fy edmygedd o'r adferiad a fuasai eisoes yn sefyllfa'r Hebraeg, ond mynegwyd siom yn fy adroddiad cyhoeddus i'r arolygwyr na roddwyd caniatâd i mi ymweld â Jordan nac ag unrhyw ysgol Arabaidd, er i mi wneud cais arbennig i wneud hynny. Beth bynnag, yn ystod y penwythnosau cefais gyfle i weld y wlad y gwyddwn fwy amdani yn fy llencyndod nag am fy ngwlad fy hun. Gwelais Fryniau Golan, Môr Galilea, y Môr Marw, Y Môr Coch a Mynydd Sinai. Euthum ar y daith i ddeau'r wlad mewn bws a oedd yn llawn o ymwelwyr Iddewig o'r Taleithiau Unedig. Yn Beersheba dangosodd y *courier* i ni adfeilion hen ffynhonnau gan egluro mai Abraham oedd wedi eu cloddio a'i fod hefyd wedi plannu coed yno. Er mawr syndod i mi ar y pryd chwarddodd yr Americaniaid at y fath hygoeledd. Gwelais hefyd y prif ddinasoedd, a dod yn llygad dyst i ffyniant cosmetig y parthau Iddewig a thlodi bwriadol y parthau Arabaidd. Cyn ymadael prynais swfenîr, medal copr, ac arno cefais yn ysgrifenedig mewn Lladin, Hebraeg a Saesneg, '*Terra Santa,* Câr dy gymydog fel ti dy hun.' O Gaersalem fe ysgrifennais lythyr at James Griffiths, A.S. a oedd yn gyfrifol am y Swyddfa Gymreig ar y pryd, yn rhoi hanes fy ymweliad ag Israel, a chyferbynnu safle'r Gymraeg yng Nghymru â safle'r Hebraeg yn Israel. Cefais ateb ganddo, a'r frawddeg olaf ynddo oedd, 'Gallaf eich sicrhau fy mod yn gwneud popeth yn fy ngallu i gael cyfiawnder i'r iaith Gymraeg.'

Yn fuan wedi i ni ddod i'r Parc rhoddwyd ar ddeall bod pwyso wedi bod ar rai o'r merched i sefydlu cangen o'r WI yno. Trefnwyd cyfarfod a daeth swyddogion sir y Mudiad i annerch. Dewiswyd swyddogion y gangen a phenodwyd Zonia yn ysgrifenyddes. Ymhen blwyddyn bu gwrthdaro rhwng yr ysgrifennydd a'r swyddogion sir am eu bod yn mynnu i'r adroddiadau o'r gangen fod yn Saesneg ac am fod cyfran helaeth o dâl mabwysiadaeth canghennau'r sir yn mynd i Lundain i argraffu ffurflenni a chylchgronau Saesneg, a gwnaed cais i gael rhai Cymraeg. Galwodd y swyddogion sir am gyfarfod arbennig ac eglurwyd gan y swyddog sirol Gymraeg ei hiaith mai Saesneg oedd iaith swyddogol y WI, ac os nad oedd merched y Parc yn derbyn y drefn honno, nid oedd dim amdani ond cau'r gangen. A dyna a ddigwyddodd. Cafodd Zonia lythyr yn gofyn iddi anfon cofnodion a phapurau'r gangen i'r sir, a phenderfynodd hithau geisio ffurfio mudiad cymdeithasol Cymraeg i Ferched Cymru. Roedd llywydd y gangen eisoes wedi symud i fyw i'r Bala ac roedd gweddill yr aelodau, ac eithrio Sylwen Davies, yr Is-lywydd a oedd yn frwd ei chefnogaeth, yn amharod i leisio barn, ond ar yr un pryd yn barod iawn i gydweithio i sefydlu'r mudiad newydd.

Y bwriad oedd cychwyn ymgyrch genedlaethol yn Eisteddfod y Bala a chynhaliwyd stondin yn ffair y Bala er mwyn cael arian i dalu am babell ar faes yr Eisteddfod. Daeth y cyfryngau i glywed am y bwriad, a rhoddwyd cryn sylw iddo yn y Wasg ac ar y Radio a'r Teledu. Cafwyd gwahoddiad yn syth o Ganllwyd i ddod i sefydlu cangen yno, ac yn fuan wedyn sefydlwyd cangen gan Bethan Llywelyn yn Y Ffordd-las (Birch-grove), Abertawe.

Wedi ymgynghori â Gwyn Evans, Gwasg y Bala, a dod i gytundeb ynghylch costau argraffu, dechreuodd Zonia gylchgrawn misol i'r mudiad sef *Y Wawr*, ei olygu a'i ddosbarthu i'r canghennau. Daliodd ati am dros wyth mlynedd yn olygydd ac am beth amser yn Ysgrifennydd Cyffredinol y mudiad, yn hollol ddi-dâl, ac wrth gwrs, yn Llywydd Anrhydeddus nes iddi ymddeol o'r mudiad oherwydd cynllwynion i ŵyr-droi'r mudiad i amcanion crefyddol yn groes i'w gyfansoddiad, a oedd yn caniatáu rhyddid barn i'r aelodau.

Roeddwn wedi fy mhenodi'n arolygydd nid yn unig ar ysgolion cynradd ac uwchradd a Choleg Meirion-nydd ond hefyd ar ysgolion Powys a Cheredigion a dosbarthiadau allanol y Brifysgol. Arferwn deithio i Bowys o'r Parc yn hwylus ddigon drwy Gwm Cletwr a Llangynog, ond roedd cryn bellter gennyf i deithio cyn cyrraedd Ceredigion. Pan ddeëllais fod blaenoriaid Capel y Parc yn bwriadu symud i gael gweinidog, dechreuais o ddifrif chwilio am dŷ mwy canolog i mi yn fy ngwaith, ond nid oeddwn am symud o Feirionnydd. Wrth ddychwelyd o Aberystwyth un hwyr sylwais fod tŷ, o'r enw Tremlyn, ar werth ar Riw Gwgan yn wynebu Llyn Myngul, Tal-y-llyn. Drannoeth fe alwodd Zonia a minnau yn Nhyn-y-maes i gasglu agoriadau'r tŷ ac i fwrw golwg drosto. Roedd i'r tŷ ei ddiffygion amlwg, ond roedd yr olygfa dros y llyn yn gwneud iawn amdanynt. Aethom yn syth i weld yr asiant yn Nhywyn a threfnu ei brynu.

Yn Nhal-y-llyn

Ymhen rhyw ddeufis, sef ym Medi 1969, roeddem wedi symud i Dremlyn, a'r ddwy ferch, Nia a Siân, wedi cychwyn yn Ysgol Gynradd Corris. Tipyn yn farwaidd oedd Corris yn ddiwylliannol, a phenderfynodd Zonia a minnau geisio ailgodi'r Urdd a fuasai beth amser yn ôl yn llwyddiannus iawn yn y pentref. Gwrthododd y prifathro gydweithio, ond er hynny, aed ymlaen â'r bwriad, a chynhaliwyd cyfarfodydd yn gyson am bum mlynedd a buwyd yn hyfforddi'r plant i gystadlu yn Eisteddfodau'r mudiad bob blwyddyn. Hefyd sefydlwyd ysgol feithrin a minnau'n gadeirydd a bu Zonia yn athrawes ddi-dâl ynddi am gyfnod.

Roedd dyddiad ymddeol o'r Weinyddiaeth yn nesáu. Roeddwn yn 60, yr oed ymddeol arferol, ar 10 Medi 1975, a galwyd fi i'r Swyddfa Gymreig i drafod fy ymddeoliad. Eglurwyd i mi y gallwn, pe dymunwn, barhau yn y swydd am ddwy flynedd arall. Ond nid dyna oedd fy nymuniad. Roeddwn yn un peth am orffen fy ymchwil ar ryddiaith y Reciwsantiaid neu'r Gwrthddiwygwyr yng Nghymru.

Ond cyn cau pen y mwdwl hwnnw, digwyddodd i mi gwrdd â Gwilym R. Jones, golygydd *Y Faner*, ar faes yr Eisteddfod Genedlaethol yn Aberteifi. Eglurodd i mi fod Gwasg y Sir wedi cael addewid o gymhorthdal gan Gyngor y Celfyddydau ar yr amod eu bod yn newid diwyg *Y Faner* a'i gyhoeddi yn gylchgrawn wythnosol trymach ei gynnwys ar batrwm y *Spectator*, yr *Economist* a'r *New Statesman*, ei fod ef ei hunan yn teimlo fod yr amser wedi dod iddo roi'r gorau i olygu, a bod Gwasg y Sir am benodi golygydd newydd. Gofynnodd i mi a fuasai diddordeb gennyf i yn y swydd. Atebais y buaswn yn ystyried y peth.

Diwedd mis Medi derbyniais wahoddiad i gynorthwyo Bruce Griffiths gyda'r gwaith o lunio *Geiriadur yr Academi*. Yn ei lythyr ataf dyddiedig 30 Medi 1975 eglurwyd beth oedd natur y gwaith.

Ysgrifennaf atoch i'ch gwahodd chwi i'n cynorthwyo gyda'r gwaith o lunio Geiriadur yr Academi. Deallaf eich bod ar fin ymddeol, neu wedi ymddeol. Ni wn pa gynlluniau sydd gennych ar y gweill, ond tybed a fyddai gennych hamdden i ymgymryd â'r gwaith, nid yn unig o adolygu brasluniau gan y gweddill ohonom, ond o lunio rhai brasluniau eich hun? Yr hyn a wnawn yma yw dilyn, fel cynsail, eiriadur Harrap — y *New Shorter English-French Dictionary*, ond os nad oes copi ohono gennych, fe wnâi'r *Concise Oxford* y tro. Hynny yw, byddem un ai yn awgrymu i chwi — Lluniwch eirfa gyflawn Gymraeg ar gyfer y geiriau o "Call" i "Camouflage" yn y *New Shorter/y Concise Oxford* ar gyfer wythnos arbennig, neu fe fyddem yn anfon atoch dudalennau yn cynnwys yr holl eiriau angenrheidiol gan adael yr ochr dde yn wag ar bob tudalen. Ar gyfartaledd byddem yn gobeithio y gallech wneud rhyw hanner can gair yr wythnos. Pwysleisiaf nad diffiniadau ac erthyglau meithion fel rhai *Geiriadur y Brifysgol* a ddisgwylir, eithr cynnwys pob gair addas byw a chymaint o briod-ddulliau ag y bo modd.

Atebais yn gadarnhaol ac ar 11 o Hydref rhoddwyd imi'r dasg o lunio'r eirfa Gymraeg i'r geiriau ar saith o dudalennau'r *New Shorter Dictionary*, sef o *'assize'* i 'azure', a gofynnwyd i mi orffen y dasg cyn diwedd Tachwedd.

Deuthum i ben â'r dasg ymhen wythnos, a daeth lot arall gyda'r troad a bwriais ati i orffen honno hefyd yr un mor gyflym. Yn ôl yr ohebiaeth sydd wedi goroesi, y lot olaf a roddwyd i mi oedd o 'brink' hyd at 'bullfighting'. Gofynnwyd i mi orffen y dasg erbyn diwedd Ionawr. Fe'i dychwelais, ac eglurais na fedrwn barhau gyda'r gwaith oherwydd galwadau eraill.

Yr oeddwn wedi rhoi gwybod i Wasg y Sir mewn llythyr byr, heb nodi fy nghymwysterau, fy mod yn fodlon ymgymryd â golygyddiaeth *Y Faner*, a phenodwyd fi mewn cyfweliad 19 Tachwedd 1975 i gychwyn 1 Ionawr ar y gwaith o olygu'r defnyddiau ar gyfer rhifyn cyntaf Mawrth 1976.

Lluniais faniffesto yn amlinellu polisi'r *Faner* ar ei newydd wedd gan ddweud y byddid yn cyhoeddi erthyglau ar economi a gwleidyddiaeth Cymru, Prydain, Ewrop a'r Byd gan roi sylw arbennig i'r gwledydd Celtaidd, ar y datblygiadau diweddaraf mewn gwyddoniaeth, addysg, meddygaeth, seiciatreg a chymdeithaseg ac ar y tueddiadau diweddaraf ym myd y ddrama, radio a theledu, ffilmiau, opera, cerddoriaeth, llenyddiaeth a'r celfyddydau yn gyffredinol yng Nghymru ac Ewrop. Cefais hefyd addewid am gymorth gan nifer o arbenigwyr yn y gwahanol feysydd. Roedd y perchnogion wedi gobeithio y byddai cylchrediad *Y Faner* yn cynyddu trwy newid *Y Faner* o fod yn bapur wythnosol i fod yn gylchgrawn wythnosol, ond ni welwyd cynnydd. Buaswn, gyda chymorth Zonia, wrth y gwaith am ryw ddeunaw mis pryd y cafodd perchennog *Y Faner* neges ar y ffôn ar y 18 o Ebrill, 1978 oddi wrth Meic Stephens yn dweud bod Pwyllgor Llenyddiaeth Cyngor y Celfyddydau newydd basio penderfyniad i'r perwyl 'Bod *Y Faner* yn amddifad o ddiddordeb cyfoes ac nad oedd yn cyflawni ei swyddogaeth, sef adolygu materion y dydd mewn dull poblogaidd a dealladwy. Os na wellir mewn chwe mis, mae peryg iddi golli ei grant.' Ond gan nad dyna'r math o gylchgrawn poblogaidd y gofynnwyd i mi ei olygu yn y lle cyntaf, penderfynais roi'r gorau i'r dasg ymhen y chwe mis, oherwydd roeddwn, beth bynnag, wedi addo y gwnawn y gwaith am ddwy flynedd. A phan ddaeth yr amser, derbyniais lythyr oddi wrth Gwynfor Evans sy'n darllen fel hyn:

A chwithau wedi gorffen dwy flynedd o olygu'r Faner hoffwn eich sicrhau ein bod wedi gwerthfawrogi'n fawr eich gwaith trwm gyda'r cylchgrawn. Cawsoch gant neu fwy o rifynnau sylweddol a diddorol allan yn ystod eich golygyddiaeth a'n gosod ni Gymry yn drwm yn eich dyled.'

A minnau'n dal yn olygydd *Y Faner* gorffennais fy nhraethawd am radd PhD, ac etholwyd fi yn Archdderwydd yng Nghyfarfod Blynyddol yr Orsedd yn Eisteddfod Genedlaethol Wrecsam 1977 a'm gorseddu gan yr Archdderwydd Bryn, mewn seremoni a gynhaliwyd dan do, oherwydd y glaw, yn Ysgol Syr Hugh Owen, Caernarfon adeg cyhoeddi Eisteddfod Genedlaethol Caernarfon ym 1978. Wedi'r seremoni, y gyntaf i'm llongyfarch oedd Mrs Lloyd Owen y bûm i yn gweithio ar ei fferm yn y Tŷ Uchaf, Sarnau, adeg y rhyfel, a mynnodd dynnu fy llun gyda hi a minnau yn fy urddwisg.

Ychydig cyn y seremoni derbyniais lythyr dyddiedig 28 Mehefin, 1978 oddi wrth aelod o'r Orsedd yn dweud na fyddai ef yn mynychu gorseddau yn ystod fy archdderwyddiaeth i wedi iddo ddarllen yn ddiweddar ensyniadau fy mod yn anffyddiwr.

Hefyd roedd Henaduriaeth Dwyrain Morgannwg ac Arfon wedi bod yn trafod fy mhenodiad yn Archdderwydd, a Chymanfa Gyffredinol y Presbyteriaid yn bwriadu trafod cynnig yn condemnio'r dewis am y byddai yn cael *'deleterious effect on the cause of religion in our country.' (Liverpool Post)*. Yn y Gymanfa ei hun gadawyd y cynnig ar y bwrdd. Codwyd y pwnc gan Hywel Gwynfryn ar y radio a galwyd arnaf i ateb y rhai a ddisgrifiais fel 'crefyddwyr McCarthyiaidd'. Cefais fy llongyfarch am fy safiad gan y bobl fwyaf annisgwyl. Rhygnu ymlaen yr un mor anoddefgar a hunangyfiawn roedd rhai eraill o ychydig ffydd yn eu crediniaeth eu hunain fel y gwnaeth W. I. Cynwil Williams yn *Y Goleuad*, 22 Chwefror 1985.

Eglurais yng ngorsedd Caernarfon mai cymdeithas i gynheiliaid yr iaith a'r celfyddydau yng Nghymru oedd yr Orsedd a bod aelodaeth yn agored i bawb teilwng heb gyfrif eu daliadau a'u crediniaethau. Eglurais mai ymhell wedi marw sylfaenwyr Gorsedd y Beirdd yr ychwanegwyd Gweddi'r Orsedd ac yn ddiweddar iawn y ducpwyd emynau i mewn i'r seremoni, ac ni fwriadwyd hwynt fel meini tramgwydd i neb. Roedd rhai yn cyhuddo'r Orsedd o ymarfer derwyddiaeth, ond nid oeddwn i erioed wedi clywed am yr un aelod yn gwneud hynny, a pheth bynnag, nid yw'r hyn a ddarllenwn am dderwyddiaeth yn ddim byd mwy na dyfaliadau.

Roeddwn yn gynnar yn ystod fy nhymor yn Archdderwydd wedi mynegi fy nghefnogaeth i Gymdeithas yr Iaith ac wedi cyfrannu i'w chylchgrawn ac annerch cyfarfodydd, yn enwedig yn yr ymgyrch darlledu a sefydlu'r Sianel Gymraeg. Cynhaliwyd Rali'r Bedwaredd Sianel yn Aberystwyth 1980 pryd y condemniwyd y Blaid Dorïaidd am dorri'r addewid a wnaed yn araith y Frenhines bod y Bedwaredd Sianel yng Nghymru i'w neilltuo i raglenni Cymraeg, ac yng ngorsedd cyhoeddi 1980 rhybuddiais y Llywodraeth y byddai anwybyddu bygythiad Gwynfor Evans i ymprydio i farwolaeth, oni fyddai'r Llywodraeth yn cadw at ei haddewid, yn arwain i derfysgoedd a gwrthryfel yng Nghymru. Yr oedd Bwrdd yr Orsedd yn gynharach yn y dydd wedi penderfynu ysgrifennu at William Whitelaw, yr Ysgrifennydd Cartref, yn galw arno i wireddu'r datganiad a wnaed ym maniffesto'r Blaid Dorïaidd ac a oedd yn addo neilltuo'r Bedwaredd Sianel i ddarlledu yn Gymraeg. Roedd hyn oll yn digwydd er gwaethaf protestiadau rhai o swyddogion yr Eisteddfod. Ar y 5ed o Dachwedd 1978 danfonwyd llythyr at Ysgrifennydd Cyffredinol yr Eisteddfod Genedlaethol gan J. Huw Thomas, Trysorydd Eisteddfod Genedlaethol Dyffryn Lliw 1980 yn dweud:

> Bod agwedd anghyfrifol y Dr Geraint Bowen yn datgan ei gefnogaeth yn ddiweddar i bolisi tor-cyfraith Cymdeithas yr Iaith, yn peri gofid i mi. Awgrymaf i Gyngor yr Eisteddfod y dylai drafod y mater hwn ar frys, gyda'r amcan o wneud datganiad yn anghymeradwyo barn

Geraint Bowen, ac ymhellach efallai, ei ddiswyddo o'i wahanol swyddi ynglŷn â'r Eisteddfod Genedlaethol. Myfyriais yn ddwys cyn ysgrifennu'r llythyr hwn atoch — nid llythyr byrbwyll ydyw.

Hyd yn oed wedi'r datganiad oddi ar faen llog Machynlleth lleisiodd Delwyn Williams, yr aelod seneddol dros Faldwyn, ei farn fy mod yn *'using the cultural occasion to deliver a political speech and would seek a review of government grant for the event.'* (*County Times*, Gorffennaf 5, 1980). Yn yr etholiad nesaf fe gollodd Delwyn Williams ei sedd.

Aeth car Nicholas Edwards, Ysgrifennydd Gwladol y Swyddfa Gymreig, i drafferthion ar faes yr Eisteddfod yn Nyffryn Lliw. Mae'n debyg i aelodau Cymdeithas yr Iaith, ac yn eu plith, fy merch fy hun, sef Siân, geisio rhwystro'i gar drwy orwedd o'i flaen. Condemniwyd eu hymddygiad gan Lywydd yr Eisteddfod, Alun Talfan Davies a chan Emrys Evans fel gweithred a oedd yn dwyn gwarth ar yr Eisteddfod a'r genedl. Ymatebais i drwy amddiffyn ymddygiad y gwrthdystwyr, a chyhoeddi mai maes yr Eisteddfod yw'r priod le, ie, yr unig le, y gallai gwerin Cymru arddangos eu anghymeradwyaeth o bolisi'r Llywodraeth. Dyna a fydd yn digwydd hyd oni sefydlir senedd yng Nghymru a moddion democrataidd i'r genedl fel cenedl leisio'i barn. Yn yr un Eisteddfod cafwyd cyfarfod cyhoeddus, a drefnwyd gan y mudiad newydd yn erbyn claddu gwastraff niwcliar, Madryn, ac a anerchwyd gan Dafydd Elis Thomas a minnau'n cadeirio.

Ymgyrch Madryn yn erbyn claddu gwastraff niwcliar

Ionawr 17 1980 roedd y Swyddfa Gymreig wedi cyhoeddi bod deau Gwynedd a gogledd-orllewin Powys wedi'u nodi yn ardaloedd i'w harchwilio i gael gweld a oedd eu daeareg yn addas i wneud claddfa i wastraff ymbelydrol neu niwcliar, a soniwyd am ddyffrynnoedd Dyfi a Dulais. Roedd Zonia a minnau wedi bod yn ymgyrchu yn erbyn y diwydiant niwcliar yn ôl yn y Pumdegau pryd roeddem yn byw yn ardal Wrecsam. Ac yn awr wele'r perygl ar garreg ein drws — ym mhlwyf Llan-fair Tal-y-llyn ei hunan. Cafwyd cyfarfodydd cyhoeddus i fynegi gwrthwynebiad chwerw i'r bwriad a'i oblygiadau i Gorris, Dolgellau, Machynlleth a Dinas Mawddwy. Cynhaliai grŵp Corris ei gyfarfodydd yn festri eglwys y plwyf ac mewn tafarn i ddechrau, yna yn yr Institute. Dewiswyd fi yn gadeirydd a Glyn Rowlands yn ysgrifennydd, ac ar awgrym Zonia yng nghyfarfod 4 Mawrth mabwysiadwyd Madryn yn enw ar y mudiad, sef talfyriad o Mudiad Amddiffyn Dulais Rhag Ysbwriel Niwcliar, ac eglurwyd y gallai'r 'D' yn yr enw sefyll hefyd am Dyfi, Dinas, Dysynni, Dyfrdwy a Dolgellau. Pwysleisiwyd mai mudiad di-drais ydoedd.

Ffurfiwyd nifer o grwpiau yn syth, ym Machynlleth, Dinas Mawddwy, Dolgellau, Tywyn, Blaenau Ffestiniog, Abergynolwyn, Penrhyndeudraeth, Llanfrothen, Llanbryn-mair, Tal-y-bont, Y Foel a Llanuwchllyn.

Cafwyd cydgyfarfyddiadau yng Nghorris. Cynigiais fod cynrychiolydd o'r gwahanol grwpiau i gymryd y gadair yn ei dro. Fe dderbyniwyd y cynnig, ac yn yr un cyfarfod dewiswyd Lona Gwilym yn ysgrifennydd cyffredinol, John Dyer James yn drysorydd a Paul Wesley yn swyddog y Wasg. Penderfynwyd hefyd ddwyn allan bamffledyn Cymraeg yn egluro natur y broblem, bwriad y Llywodraeth a'r dulliau ymgyrchu. Trefnwyd arolwg barn yn y gwahanol ardaloedd o dan y pennawd: 'Mae'r sawl a arwyddodd isod yn gwrthwynebu'n llwyr unrhyw gladdu gwastraff niwcliar yn naear Cymru', a chafwyd bod 98% o'r rhai a holwyd yn gwrthwynebu. Cafwyd yn fuan fod y syniad o rannu'r gadeiryddiaeth yn fethiant, ac fe'm cefais fy hun yn cadeirio pob cydgyfarfod. Barnwyd mai da fyddai penodi is-gadeirydd, a dewiswyd Gwilym Fychan.

Cynlluniwyd monogram i'r mudiad, pen llwynog a'r geiriau 'Dim gwastraff niwcliar yma. MADRYN' a chafwyd bathodynnau wedi'u gwneud. Dosbarthwyd taflenni a phamffledi a gafwyd gan SCRAM, sef y mudiad Albanaidd yn erbyn gwastraff niwcliar; gan Nuclear Information, Godalming, Surrey; gan Ecoropa, Crucywel a chan Grŵp Heddwch Machynlleth. Paratowyd rhestr o rifau ffôn ymgyrchwyr Madryn. Cafwyd cefnogaeth Cyngor Dosbarth Meirionnydd, cynghorau cymuned yr ardal, yr Undebau Amaeth ac Undeb Llafur Cymru.

Dechrau Mai 1980 cafwyd ar ddeall fod y Comisiwn Coedwigaeth wedi rhoi caniatâd i swyddogion yr *Institute of Geological Sciences* archwilio'r tir o gwmpas Machynlleth am le addas i gladdu gwastraff niwcliar.

Gwelwyd dau ohonynt yn edrych y tir o gwmpas Aberhosan. Cysylltodd aelodau Madryn â'i gilydd ar y ffôn, a rhwystrwyd y swyddogion rhag gweithredu. Bu gwarchae hefyd ar eu llety ym Machynlleth un ben bore gan ugain o ferched Madryn. Ar y chweched o Fai meddiannwyd swyddfa'r Comisiwn Coedwigaeth yn Aberystwyth gan ymgyrchwyr Madryn, ac erfyniwyd ar y pennaeth i wrthod caniatâd i'r *Institute* archwilio tir y coedwigoedd yn eu gofal. Addawodd y byddai'n rhoi ein cais gerbron Ysgrifennydd Gwladol Cymru. Roedd yr ymgyrch erbyn hyn yn atgoffa rhywun o ymgyrchoedd Gwylliaid Cochion Mawddwy. Yn sicr roedd y Llywodraeth wedi cyfeiliorni'n ddybryd drwy ddewis darn o wlad heb roi unrhyw ystyriaeth i gymeriad annibynnol y bobl a drigai ynddi.

Ar y 30 o Fai roeddwn, ar wahoddiad, yn bresennol mewn cyfarfod o Bwyllgor Cynllunio Parc Cenedlaethol Eryri i drafod cais yr *Institute of Geological Sciences* am hawl i dyllu o fewn y Parc. Gorthodwyd y caniatâd. Dechrau Mehefin bu rali Madryn yn Aberystwyth, a diwedd Mehefin cynhaliwyd gorsedd cyhoeddi Eisteddfod Machynlleth a dywedais o'r maen llog y byddai caniatáu claddu gwastraff niwcliar yr un fath â chydweithio i gyflawni trosedd yn erbyn y ddynoliaeth. Gelwais ar Awdurdodau Cyhoeddus Cymru i gyhoeddi eu hardaloedd yn ddiniwcliar. Yn fuan wedyn derbyniodd Swyddfa Ganol yr Eisteddfod lythyr oddi wrth y *Central Electricity Generating Board* yn cwyno am araith yr Archdderwydd yn galw ar yr Awdurdodau i gyhoeddi bod eu hardaloedd yn ddiniwcliar. Meddir yn y llythyr *'Now the Board is threatening to reconsider the practice of supporting the Eisteddfod financially.'*

Tua'r amser yma cyhoeddodd Madryn bamffledyn gwerthfawr, sef *Yr Oes Niwcliar*, gan Melfyn R. Wiliams, Llanuwchllyn, gwaith a fu'n gymorth mawr i ymgyrchwyr Madryn.

Gorffennaf 1980 cafwyd cyfarfod cyhoeddus yn Ysgol Bro Ddyfi, Machynlleth. Anerchwyd gan Dr John Lewis o'r Awdurdod Ynni Atomig ar gladdu gwastraff niwcliar, gan Dr John Mather o'r *Institute of Geological Sciences*, gan Don Arnott, cadeirydd y mudiad gwrthniwcliar, Pandora, a gennyf i. Mynnodd Dr Lewis fod gormod o sylw wedi'i roi i ddamweiniau atomig, a hysbysodd Mr Mather ni oll fod y tir yn y cyffiniau eisoes wedi'i archwilio'n drylwyr.

Mewn cinio yn ystod Eisteddfod Genedlaethol Dyffryn Lliw 1980 trefnwyd bod Zonia a mi i rannu bwrdd gyda Nicholas Edwards, Ysgrifennydd Gwladol Cymru a'i wraig. Daeth y bygythiad i gladdu gwastraff niwcliar yn ein hardal ni yn bwnc siarad, ac wedi i Zonia ddadlau'r achos, fe ddywedodd yr Ysgrifennydd, *'Don't worry, I'll see to it that it won't come to your back yard.'* Gofynnodd Zonia, *'May I quote you on that?'* ac fe atebodd yn gyflym, *'Don't you dare.'*

Cynhaliodd Madryn rali genedlaethol 30 Awst 1980 ym Machynlleth, ac yn ôl amcangyfrif y Wasg a'r teledu roedd 2,000 yn bresennol. Dyma fyrdwn yr anerchiad a draddodais y tu allan i Senedd-dy Owain Glyndŵr:

Rydym wedi ymgynnull y pnawn 'ma y tu allan i Senedd-dy Owain Glyndŵr. Dewisais y lle hwn am resymau amlwg. Mae'r adeilad hwn yn gofeb i'r frwydr dros ryddid, rhyddid fel y syniai Owain Glyndŵr amdano yn nyddiau anrhaith a gorthrwm ffiwdalaidd, mae'n wir, ond brwydr dros ryddid er hynny.

Brwydr dros ryddid yw ein brwydr ninnau, rhyddid fel y syniwn ni amdano yn yr oes niwcliar fodern, rhyddid rhag gorthrwm niwcliar a distryw. Arferai Owain Glyndŵr gynnull ei wŷr ar Garn Hyddgen, bryn ychydig i'r de o'r dref 'ma, ac yno y byddai yn galw arnynt i dyngu llw o deyrngarwch i'r ymgyrch a'r frwydr dros ryddid. Mae'n gwbl briodol felly ein bod yn ymgynnull y tu allan i'r senedd-dy lle'r ymgnawdolodd rhyddid ym mherson Owain Glyndŵr.

Mae adegau yn dod yn hanes gwerin pob gwlad pryd y bydd llywodraethau a'u swyddogion yn gweithredu yn gwbl groes i ewyllys a lles y werin, a rhaid dewis rhwng ymostwng i anghyfiawnderau neu ymladd yn eu herbyn.

Pan fo llywodraeth a'i swyddogion yn gweithredu mewn modd sy'n fygythiad i'n bywydau ac i fywydau ein plant a phlant ein plant, ysytyriwn fod hyn yn weithred droseddol yn erbyn y ddynoliaeth, ac nid oes gennym ddewis ond eu hatal. Mae claddu gwastraff niwcliar gwenwynig yn golygu y bydd pobl hwyr neu hwyrach yn cael eu hanffurfio, eu hanafu a'u lladd.

Gadewch i ni ofyn i'n gilydd y cwestiwn, Sut y gellir cyfiawnhau trosglwyddo i'n plant y fath etifeddiaeth wenwynig a marwol? Dyna fyddai creu claddfa gwastraff niwcliar yn yr ardal yma yn ei olygu. Nid oes dewis gennym ond brwydro'n ddiorffwys i atal y fath drychineb, a galwaf arnoch heddiw i ymdynghedu i ymladd hyd yr eithaf i wahardd unrhyw ymgais o du'r Llywodraeth i gladdu gwastraff niwcliar yn ein daear trwy ddweud gyda mi, 'Rwyf yn addo y gwnaf fy ngorau i atal y Llywodraeth rhag claddu gwastraff niwcliar yn naear Cymru.'

Dydd Gŵyl Dewi 1981 a hithau'n ddydd Sul, bu gwrthdystiad cyhoeddus yn Aberllefenni pryd yr anerchwyd y dorf gan Dafydd Elis Thomas, Gwilym

Fychan a minnau a phlannwyd draig goch fel gweithred symbolaidd ar dir y Comisiwn Coedwigaeth, tir a fu'n eiddo unwaith i ffermwyr lleol, i ddangos penderfyniad Madryn i amddiffyn tir Cymru rhag cael ei droi'n ddiffeithdir ymbelydrol.

Trefnwyd deiseb yn gwrthwynebu claddu gwastraff niwcliar a'i chyflwyno a 15,000 o enwau arni gan ddirprwyaeth o dan fy arweinyddiaeth i Wyn Roberts yn y Swyddfa Gymreig. Fel hyn roedd y ddeiseb yn darllen:

Ymgyrch Amddiffyn Deau Gwynedd a Gogledd-Orllewin Powys rhag ysbwriel niwcliar

Mae deiseb ostyngedig y sawl a arwyddodd isod yn dangos eu gwrthwynebiad llwyr i unrhyw archwiliad a phrofion daeareg sy'n angenrheidiol i ddod o hyd i le addas yn yr ardaloedd hyn i gladdu gwastraff niwcliar. O'r herwydd mae eich deisebwyr yn deisyfu y gwna Tŷ'r Cyffredin bopeth yn ei allu i atal y fath archwilio a phrofion daeareg, ac yn rhwymedigaeth dyletswydd fe fydd eich deisebwyr yn deisyfu'n barhaus, etc.

Bu cyfarfod o ymgyrchwyr Madryn ym Mhabell y Cymdeithasau ar faes Eisteddfod Genedlaethol Machynlleth yn Awst 1981. Y prif siaradwr oedd Dafydd Elis Thomas a minnau'n cadeirio. Roedd trefniadau wedi'u gwneud heb yn wybod i'r cadeirydd, i gyflwyno i mi gerflun o ben bugail o waith y cerflunydd, Huw Rhydwen, sef mab Rhydwen Williams, bardd Coron Eisteddfod Aberpennar 1946, i ddangos cymaint y gwerthfawrogid brwydr Madryn.

Mewn ateb i gwestiwn gan aelod seneddol ar lawr Tŷ'r Cyffredin ym mis Tachwedd 1981 dywedodd Tom King, y Gweinidog dros yr Amgylchedd, fod y Llywodraeth wedi rhoi'r gorau i'r cynllun i dyllu am leoedd addas yn yr ardal i gladdu gwastraff niwcliar. Dywedodd Dafydd Elis Thomas fod hyn yn fuddugoliaeth fawr i'r ymgyrchwyr yn erbyn claddu gwastraff niwcliar yng nghanolbarth Cymru ac i fudiadau fel Madryn a Pandora a ddadleuodd mor huawdl yn erbyn y polisi y bu'r Llywodraeth dros y blynyddoedd yn ei argymell. Gwneuthum innau ddatganiad yn y *Blewyn Glas*, Ionawr 1982 yn cyhuddo'r Llywodraeth o gyfrwystra. Roeddynt yn dal i ddefnyddio cwmnïoedd preifat, gan esgus chwilio am feteloedd, i adrodd i'r llywodraeth am ansawdd daearegol daear Cymru, a bod hyn eisoes wedi cychwyn ym Mhenaran, Llanuwchllyn. Yn fuan wedyn, oherwydd gwrthdystiad lleol, fe beidiodd y tyllu yno hefyd.

Chwefror 23, 1982 cynhaliodd CND Cymru gyfarfod cyhoeddus y tu allan i Neuadd Sir Clwyd yn yr Wyddgrug lle roeddid i drafod cynnig a olygai wneud Cymru achlân yn wlad ddiniwcliar. Gofynnwyd i mi ymlaen llaw lunio datganiad dwyieithog yn cyhoeddi bod Cymru yn wlad ddiniwcliar. Fe wneuthum hynny, ac fe drefnwyd ei fod yn cael ei arwyddo gan nifer o bobl gyhoeddus. Cafwyd ymhlith eraill lofnodion Neil Kinnock a Dafydd Wigley a chadeiryddion nifer o awdurdodau sirol. Roeddwn innau i ddarllen y datganiad o flaen Neuadd y Sir, Yr Wyddgrug. Ond, ysywaeth, oherwydd salwch, ni fedrwn fod yn bresennol, a galwyd ar Gwynfor Evans i'w ddarllen. Dyma gynnwys y datganiad:

> Mae'r penderfyniad a wnaed heddiw gan Gyngor Clwyd sy'n datgan bod y sir yn ddiniwcliar o arwyddocâd

arbennig nid yn unig i bobl Clwyd ond i Gymru gyfan.

Yn ystod y flwyddyn a aeth heibio gwnaed penderfyniadau tebyg gan un Awdurdod Sir Cymreig ar ôl y llall, gan ddechrau yn Nyfed a diweddu gyda Chlwyd.

Mae hi wedi bod yn amlwg ers tro fod pobl Cymru yn gytûn ar y mater yma. Mae'r grwpiau gwrthniwcliar gwirfoddol sydd wedi'u ffurfio yma a thraw wedi cydweithio er mwyn cyhoeddi Cymru yn wlad ddiniwcliar, ac mae'r naill arolwg a deiseb ar ôl y llall wedi dangos cefnogaeth lethol i'r ymgyrch ymysg pobl sy'n pryderu ynglŷn â helaethu'r rhaglen niwcliar ac sy'n ceisio'r hawl i leisio'u barn eu hunain am ddyfodol y ddynoliaeth.

Yn dilyn y penderfyniad yma heno, rydym yn gallu datgan i'r byd fod Cymru gyfan, drwy ei chynrychiolwyr etholedig, democrataidd, wedi'i chyhoeddi ei hun yn wlad ddiniwcliar. Trwy'r weithred hon mae Cymru wedi rhoi arweiniad moesol i wledydd eraill Ewrop a'r byd.

Wrth gyflwyno iddynt ein neges o obaith ac ysbrydoliaeth, rydym yn galw ar genhedloedd eraill Ewrop i roi gwybod i'r byd gymaint yw eu pryder am ddyfodol gwareiddiad. Rydym yn galw arnynt i ymdynghedu i achub Ewrop rhag dinistr llwyr drwy gymryd y cam cyntaf a chyhoeddi eu gwledydd yn ddiniwcliar.

Rhennais lwyfannau hefyd gyda'r hanesydd a'r dyneiddiwr, A. J. P. Taylor mewn cyfarfod cyhoeddus mewn Rali Gwrth-Niwcliar ym Mlaenau Ffestiniog ac mewn cyfarfod tebyg yn Llangefni gyda Joan Ruddock, a ddaeth yn ddiweddarach yn llywydd CND Prydain ac yn aelod seneddol.

Mewn ateb i gwestiwn gan Ieuan Wyn Jones, yr Aelod Seneddol dros Ynys Môn ar lawr Tŷ'r Cyffredin, 2 Gorffennaf 1987, dywedodd Wyn Roberts,

Nirex are still some way from identifying suitable locations for a deep multi-purpose facility for the disposal of low and

intermediate level waste. At this stage, it is not possible to rule out any part of the UK.

Roedd Aelod Seneddol Ynys Môn wedi cael ar ddeall bod y Llywodraeth yn ystyried Ynys Môn fel lle addas i gladdu'r gwastraff niwcliar. Yn y llyfryn *The Way Forward*, roedd Nirex wedi enwi dau le a fyddai'n addas i'w gladdu, sef rhannau o'r Alban (gan gynnwys Ynysoedd y Gorllewin) ac Ynys Môn. O glywed hyn, trefnwyd cyfarfod cyhoeddus yn Ysgol Gyfun Porthaethwy, 28 Tachwedd i gychwyn ymgyrch yn erbyn y bwriad, ac fe'm gwahoddwyd i yno i annerch. Gorffennais fy anerchiad drwy ddweud:

Wrth ddod dros Bont Menai heddiw darllenais y geiriau — Môn, Mam Cymru. Fe fydd Môn yn peidio â bod yn Fam Cymru, os bydd cancr yn ei chroth yn oes oesoedd.

Fy ymwneud â'r Orsedd

Etholwyd fi yn Archdderwydd yn Eisteddfod Wrecsam 1977 a'm gorseddu 2 Gorffennaf 1978 yng ngorsedd cyhoeddi Eisteddfod Caernarfon 1979. Oherwydd y glaw cynhaliwyd y seremoni dan do yn Ysgol Syr Hugh Owen. Yn wir, ni fu unrhyw seremoni wrth y Meini yn Lôn Priestley hyd yn oed yn ystod yr Eisteddfod ei hunan oherwydd yr hin anffafriol. Cymerais at yr awenau gyntaf yn Eisteddfod Caerdydd 1978. Gwych iawn oedd y seremonïau yn y Cylch yng nghysgod y Castell, a hyfryd oedd cael coroni Siôn Eirian, ond tipyn o siom i mi ac i'r dorf oedd cael nad oedd neb yn deilwng o'r Gadair. Llwyddwyd i liniaru siomedigaeth y dorf drwy wahodd Syr Geraint Evans i roi unawd.

Ni chafwyd cadeirio yn Eisteddfod Caernarfon 1979 ychwaith, a gwahoddwyd Stuart Burrows i roi unawd. Ond diolch i Donald Evans cefais y fraint o gadeirio yn ogystal â choroni yn Eisteddfod Dyffryn Lliw. Cyn seremoni Coroni Meirion Evans yn Eisteddfod Caernarfon daeth un o fechgyn y BBC ataf i'r ystafell wisgo a rhoi meicroffon ar fy nhei gan ddweud, 'Unwaith y bydda' i wedi gosod hwn arnoch chi, fe fyddwch chi wedi cael eich cysylltu â'r monitors sain yng nghefn llwyfan y pafiliwn.' 'Iawn,' meddwn i. Anghofiais y cwbl amdano. Yn fuan wedyn cefais alwad i fynd i'r tŷ bach. Clywais wedyn fod y peirianwyr wedi clywed 'sŵn dŵr yn syn daro', ac wedi cael sicrwydd digamsyniol fod y sistem yn gweithio.

Yn y ddefod gorseddu a luniwyd gan y Gorseddwr profiadol, Cynan, gofynnir cwestiwn i'r Archdderwydd Etholedig ynglŷn â diogelu breintiau a defodau'r Orsedd sy'n darllen fel hyn: 'A ddiogeli di ei breintiau a'i defodau, gan gynnal bob amser urddas ei Chymreictod?' Teimlwn yn y dechrau fod y cwestiwn yn amherthnasol. Pam, gofynnais i mi fy hun, roedd Cynan wedi gosod y fath gwestiwn? Nid oeddwn yn hir yn y swydd cyn sylweddoli ei arwyddocâd, oherwydd fe ddaeth hi'n amlwg i mi yn ystod fy archdderwyddiaeth fod yn rhaid i Orseddogion fod ar eu gwyliadwraeth gyson rhag gweld erydu lle'r Archdderwydd yn y seremonïau swyddogol a Bwrdd yr Orsedd yng ngweinyddiad yr Eisteddfod Genedlaethol, a hynny'n groes i'r Cyfansoddiad, amodau derbyn y Cyfansoddiad a rheolau gweinyddu Cronfa Mil o Filoedd a sefydlwyd ac a gasglwyd gan Orseddogion yn ystod y Saithdegau i arbed yr Eisteddfod rhag mynd i'r wal. Barn a fynegir yn gyson gan eisteddfodwyr ymroddgar a Gorseddogion teyrngar yw nad oes lle i fiwrocratiaeth mewn mudiad sy'n dibynnu ar wasanaeth gwirfoddolion.

Ar fater cymreictod yr Eisteddfod Genedlaethol, mae safiad digyfaddawd yr Orsedd wedi bod yn ddraenen yn ystlys y rhai sy'n simsanu. Yn hanes yr Eisteddfod Genedlaethol, Gorseddogion a fu'n fwyaf ymroddedig dros sicrhau mai'r Gymraeg oedd iaith y gweithgareddau. Yr Orsedd oedd, ac yw, cydwybod yr Eisteddfod Genedlaethol. Ond nid cydwybod yr Eisteddfod yn unig yw'r Orsedd, mynnwn iddi fod yn gydwybod y genedl yn y mater holl bwysig yma, ac mae'n ddyletswydd ar yr Archdderwydd i fod yn rheng flaen y frwydr dros yr iaith a chymreictod, i fod yn gefn i unrhyw unigolyn neu fudiad sy'n eu huniaethu ei hunain â'r frwydr honno ac yn ceisio meithrin a chynnal yr iaith a'r ymwybyddiaeth Gymreig a Cheltaidd ymhob rhyw ddull a modd, ac yn ymdrechu i gyfoethogi'r celfyddydau yng Nghymru a gwareiddiad unigryw ein cenedl ddifreintiedig.

Mae'r ffordd y mae dyn yn mynegi ei ymlyniad i Gymru yn gallu amrywio yn ôl gallu, tueddiadau a diddordebau'r unigolyn. Rhydd i'r rhai o duedd lenyddol wneud hynny drwy lenydda ac i'r cerddor wneud hynny drwy gerddoriaeth, ac mae digon o fudiadau diwylliadol a chymdeithasol Cymraeg at chwaeth pawb. I'r rhai sy'n dangos mwy o arddeliad mae mudiadau fel Cefn a Chymdeithas yr Iaith a Phlaid Cymru, er enghraifft. Priod ddyletswydd yr Archdderwydd yw bod yn noddwr eangfrydig i bob gweithgarwch dros y Gymraeg. Pan gymerais arnaf 'iau' yr archdderwyddiaeth, penderfynais dderbyn pob gwahoddiad a ddeuai i mi i gymryd rhan mewn cyfarfodydd a fyddai mewn rhyw ffordd neu'i gilydd yn rhan o'r ymgyrch dros y Gymraeg a'r diwylliant Cymraeg.

Yr Orsedd a'r Gwledydd Celtaidd

Un o gyfrifoldebau'r Orsedd yw trefnu cyfnewid dirprwyon gyda'r gwledydd Celtaidd a chroesawu'r cynrychiolwyr o Orseddau Llydaw a Chernyw ac o wyliau cenedlaethol Yr Alban, Ynys Manaw ac Iwerddon.

Ar y 21 o Fedi 1978 cynhaliwyd gorsedd yn Boscawen Un, a chyngerdd yn Penzance i ddathlu hanner canmlwyddiant sefydlu Gorsedd Cernyw. Roeddwn, a minnau bellach yn Archdderwydd, wedi fy ngwahodd yno gan Ysgrifennydd Gorsedd Cernyw, Peter Laws *(Crugyow)*, a fu unwaith yn aelod o staff Cyngor Sir Feirionnydd. Penderfynodd Bwrdd yr Orsedd anfon dirprwy arall, a dewiswyd Mrs A. M. Weeks, *(Cerddores Moelfre)*, Meistres y Gwisgoedd. Ar y ffordd i lawr bu Zonia a minnau yn aros mewn fflat a oedd gan Mr a Mrs Weeks yn Weston-Super-Mare, ac wedi cyrraedd Penzance cawsom lety yn Penwyth, Penzance. Yng ngwledd y dathlu hanner dydd drannoeth cyflwynodd Huw Miners *(Den Twll)* i mi gopi o'i lyfr newydd, *Gorseth Kernow*. Ar gyfer yr orsedd cawsom ein cario mewn bws i safle meini hynafol Boscawen Un yng ngolwg y môr ym mhen eithaf Cernyw. Yn fy anerchiad rhoddais amlinelliad o hanes arloeswyr cynnar Gorsedd Cernyw a'u cyfraniad i dwf cenedlaetholdeb diwylliannol a'r ymwybyddiaeth Geltaidd. Gweinyddwyd y seremoni gan Richard Jenkins *(Mab Dyvroeth)* a oedd wedi ei orseddu'n Fardd Mawr ym

1977. Roeddwn yn bresennol yn seremoni ei orseddu hefyd, yn cynrychioli Gorsedd Cymru gyda R. T. D. Williams, Ysgrifennydd yr Eisteddfod Genedlaethol.

Ymwelodd Zonia a minnau hefyd â Gorsedd Cernyw a gynhaliwyd yn Poldu, Mullion yng nghwmni Handel a May Morgan ar y 3 o Fedi, 1988. Cawsom yn ystod ein hymweliad ein hatgoffa gan Peter Laws, y Cofiadur, fod Gorseth Kernow y mis hwnnw yn drigain oed, canys fe'i sefydlwyd ym 1928. Cyflwynwyd cyfarchion Gorsedd Cymru i wŷr Cernyw gan Handel, ac apeliais innau at Orseddogion Cernyw i ddod yn ddirprwyaeth gref i ddathliad daucanmlwyddiant Gorsedd Beirdd Ynys Prydain yn Aberystwyth ym 1992, a chefais addewid pendant.

Roeddwn wedi ymweld â'r Alban nifer o weithiau ac â Mod yr Alban unwaith cyn cyfnod fy Archdderwyddiaeth. Aelod arall o'r ddirprwyaeth y tro hwnnw oedd y Parch Trebor Lloyd Evans, sef ym 1975. Roedd yr ŵyl yn cael ei chynnal yn East Kilbride yn ymyl Glasgow. Roeddwn wedi gyrru i fyny yn y car a chyrraedd yn hwyr. Wrth sleifio i mewn i neuadd y derbyniad, teimlwn yn gryn nerfus oherwydd gwyddwn y byddid yn disgwyl i mi gyflwyno cyfarchion y Cymry i'r gynulleidfa, ac roeddwn am fentro gwneud hynny yn yr iaith Aeleg. Ond roedd rhywun wrthi o'r llwyfan yn sôn am Aneirin a Thaliesin a'r Hen Ogledd yn Saesneg, rhywun a oedd yn gwisgo coler gron a gwasgod borffor yn ôl arfer esgobion. Sylweddolais ymhen ennyd mai'r gweinidog o Dreforys oedd wrthi.

Ym 1979, yn ystod tymor fy Archdderwyddiaeth, cynhaliwyd y Mod yn Steórnabhagh (Stornoway) ar

Ynysoedd y Gorllewin. Aethom yn y car i Ullabol, y porthladd mwyaf gogleddol yn yr Alban. Synnwyd fi o weld cymaint o longau o'r Undeb Sofietaidd a oedd wrth angor yno. Oddi yno cymerwyd llong i Ynys Lewis. Roedd yr iaith Aeleg i'w chlywed yn hyglyw ar yr Ynys ac roedd llawer mwy o fwrlwm Celtaidd yno nag yn East Kilbride. Dylwn egluro bod y Mod yn cael ei drefnu gan y Gymdeithas Aeleg. Colin Spenser, Sais a oedd wedi dysgu'r iaith Aeleg a Chymraeg, oedd ysgrifennydd y gymdeithas ar y pryd. O leiaf roedd gennyf, drwy ei gymorth ef y tro hwn, fy nghyfarchion yn yr iaith Aeleg yn barod ar gyfer y cyfarfod agoriadol, a theimlwn gryn dipyn yn fwy hyderus wrth draddodi. Roeddwn yn rhannu llwyfan gyda Winifred Ewing, yr Aelod Seneddol Ewropeaidd. Dangoswyd i'r gynulleidfa faner newydd y Gymdeithas Aeleg gan Lywydd y Mod. Trannoeth yr ŵyl bûm yn darlithio ddwywaith yn Saesneg mewn cyfarfod ymylol, Iomall a' Mhoid, wedi'i drefnu gan Gymdeithas Lenyddol dan nawdd Cyngor Celfyddydau'r Alban ar y Traddodiad Barddol ac ar y Gynghanedd a'r Mesurau Caeth. Darlithiodd Jâms Niclas, a gyrhaeddodd yn hwyr i'r agoriad swyddogol, ar Waldo Williams. Yn ystod ein hymwêliad agorwyd am y tro cyntaf wasanaeth radio Gaeleg i'r Ynysoedd. Yna aethpwyd yn y car o gwmpas Ynys Lewis cyn belled â Port Nis yn y gogledd eithaf ac yna i An Tairboart er mwyn dal llong yno i Loch nam Madadh ar Ynys Uist. Wrth nesáu at Tairboart rhwygodd teiar y car. Yn ffodus, roedd yr unig garej yng ngogledd yr Ynys yn digwydd bod yn ymyl y porthladd, ac yn ffodusach fyth roedd ganddynt un teiar a oedd yn ffitio fy nghar. Roedd y golygfeydd o Loch nam Madadh i lawr drwy Ynys Benbecula i borthladd Loch Baghasdail ac ymlaen wedyn i Ynys Bara yn, fel y dywedodd un Sais am y darn yma o wlad, *'miles and miles of bugger all'*, ond ar yr un pryd yn hudol yn ei gyntefigrwydd. Dychwelyd wedyn i Loch nam Madadh a dal y llong am Oban a'r tir mawr.

Bûm yn cynrychioli'r Orsedd hefyd yn y Mod a gynhaliwyd yn Portrigh ar Ynys Sgiathanach (Skye). Y dirprwy arall oedd Robyn Llŷn. Aeth ef gyda'r cyfoethogion i'r Ynys mewn awyren o Glasgow, ond aeth Zonia a minnau yno mewn llong o Ceol Loch Aillse. Roedd hi'n fwriad gennym wrth ddychwelyd i geisio ffordd i fynd i Ynys Iona. Cafwyd llety dros nos yn Oban a thrannoeth dal llong am Ynys Mull. Glaniwyd yn Craig an Iubhair a theithio mewn bws i Fionnphort. Wedi cyrraeadd yno rhoddwyd gwybod i'r teithwyr fod y môr yn rhy arw i ni groesi'r swnt i Ynys Iona, a bod y cychwyr yn ofni mentro'r daith. A minnau'n sefyll ar y cei ac yn edrych yn hiraethus tua'r Ynys, chwythwyd fy nghap i ffwrdd a diflannodd gyda'r lli. Treuliwyd y pnawn yn cysgodi rhag y gwynt a'r glaw mewn gwesty nes i'r amser ddod i ni ddychwelyd ar y bws.

Y tro olaf i mi ymweld â'r Mod oedd ym mis Hydref 1987 a hynny yng nghwmni Aled Lloyd Davies. Fe'i cynhaliwyd yn nhref Shriughlea (Stirling). Cynhaliwyd rhai cystadlaethau yn y gwesty lle'r oeddem yn lletya ac mewn nifer o neuaddau ar wasgar yn y dref. Ni fedrai Aled gyrraedd mewn pryd i'r agoriad swyddogol. Felly, syrthiodd i'm rhan i i gyflwyno cyfarchion Gŵyl Cymru, a thraethais ar y cysylltiadau cynnar rhwng yr Eisteddfod a'r Mod yn y ganrif ddiwethaf. Roedd Zonia wedi dod yn gwmni i mi ac wedi gobeithio cael wythnos y Mod ar ei hyd, ond roedd y gost o letya yn y gwesty moethus mor uchel nes i ni orfod troi tua thref hanner ffordd drwy'r ŵyl. Ond arhosodd Aled ymlaen ar ei ben ei hun tan y diwedd.

Ym 1981 dechreuodd yr Orsedd gyfnewid dirprwyon â Gŵyl Geltaidd Ynys Manaw, sef Yn Chruinnaght Mannin, a chawsom y cyfle ym mis Gorffennaf 1984 i ymweld â'r ŵyl honno hefyd. Cychwynnwyd yr ŵyl drwy ddiwydrwydd Mona Douglas a oedd yn ysgrifennydd Cymdeithas Aeleg Ynys Manaw cyn belled yn ôl â 1917 ac yn un o aelodau cyntaf y Gyngres Geltaidd, pan ailsefydlwyd honno dan arweiniad E. T. John ym 1918. Urddwyd hi yn aelod o Orsedd y Beirdd yn Eisteddfod y Gadair Ddu ym Mhenbedw ym 1917. Bu'n byw yn America am beth amser, ac wedi dychwelyd i Ynys Manaw, aeth ati i sefydlu'r Ŵyl Geltaidd, Yn Chruinnaght, gyda chymhorthdal gan yr Awdurdodau Lleol a Chyngor Celfyddydau Ynys Manaw, a hi oedd Cadeirydd yr Ŵyl adeg fy ymweliad. Roedd Zonia a minnau a'r plant wedi ymweld ag Ynys Manaw unwaith o'r blaen gan deithio ar long o Landudno i Doolish (Douglas). Ond y tro hwn, roedd yn rhaid i Zonia a minnau hwylio o Lerpwl gan fod y gwasanaeth o Landudno wedi peidio. Daeth Mona Douglas a Margaret Ellis, y Swyddog Croeso, i'n cyfarfod yn y porthladd a'n dwyn i westy yn Rhumsea (Ramsey) o'r enw The Eskdale. Gŵyl Geltaidd yng ngwir ystyr y gair oedd Yn Chruinnaght, a chymerwyd

rhan gan unigolion a phartïon o'r gwahanol wledydd
Celtaidd ac eithrio Llydaw. Y parti a wahoddwyd o
Gymru oedd Parti Siôn Dwyryd o Glwyd, a chafwyd
eitemau ganddynt hwy a chan y partïon a'r unigolion
eraill yn y neuadd ac yn y sesiynau ymylol yn yr awyr
agored yn y parc. Buom yn dilyn dosbarth dysgu
Manaweg, ond cafwyd y teimlad nad oedd digon o le yn
cael ei roi i'r iaith Fanaweg yn y gweithgareddau.

Bûm yn cynrychioli'r Orsedd deirgwaith yn yr
Oireachtas, yr Ŵyl Wyddeleg: yn An Spidéal,
Indreabhan, darn o wlad o dyddynnod, mulod a
mawnogydd yn ymyl Gaillimh (Galway) yng nghwmni
Huw Tegai ym 1974; yn An Clochan Liath yn Dun na
nGall gydag Emyr Jenkins, Cyfarwyddwr yr Eisteddfod
ym 1980; ac yn An Cheathrú Rua, Conamara ym 1983.

Roedd hi'n hwyr yn y flwyddyn yng Ngŵyl An
Spidêal, a noson cyn yr agoriad chwythwyd pabell yr
ŵyl i'r llawr, a phenderfynwyd cynnal y gweithgareddau
mewn neuaddau. Bob bore byddai corn siarad yn mynd
o gwmpas y pentrefi yn cyhoeddi lleoliad y gwahanol
gystadlaethau, a byddem ninnau yn cael trafferth i
ddeall y negeseuon a gwybod lle yn union i fynd i'r
gwahanol gyfarfodydd. Ar adegau byddai'r cynulliadau
yn eithriadol o isel, a phryd arall byddai'r trefnwyr yn
cael eu gorfodi i newid y rhaglenni. Aethom i un sesiwn
hwyr gan obeithio gweld drama Wyddeleg. A'r
gynulleidfa yn hir ddisgwyl i'r llenni agor, daeth rhywun
i flaen y llwyfan a chyhoeddi na fyddid yn llwyfannu'r
ddrama am nad oedd y parti wedi cael digon o amser i
ymarfer, a'u bod wedi penderfynu cael noson lawen.
Roedd hi'n rhewynt enbyd drwy'r wythnos, a, gwaeth

fyth, nid oedd unrhyw wres canolog yn y tyddyn lle'r oeddem yn aros. Er gwaetha'r ddrycin a'r oerfel cafwyd cryn hwyl ar hyd yr wythnos.

Roedd ardal Goath Dobhair yn Dun na nGall yn Wyddeleg iawn ei hiaith, ac roedd rhyw olwg cyntefig ar bawb a phopeth. Lletyem yn Doire Beag. Roedd yr ŵyl yn fwrlwm o ddiwylliant y Gwyddel, iaith a llên, dawns a cherdd, celf a chrefft. Cyflwynwyd cyfarchion y Cymry i'r gynulleidfa yn y cyfarfod agoriadol gan Emyr Jenkins a minnau. Cyflwynwyd ni i'r Gweinidog dros y Gaeltacht. Cynhaliwyd sesiynau arbennig i ieuenctid yr ardal. Aeth Zonia a minnau i un o'r rhain, sesiwn hir iawn. Cafwyd egwyl hanner ffordd drwodd, a dosbarthwyd paced o greision a thún o lemonâd i bob plentyn, gan gychwyn gyda Zonia a minnau, gwledd gosmopolitanaidd, fodern a fwynhawyd gan bawb.

Teithiwyd yn ôl i Ddulyn drwy Enniskillen. Yno stopiwyd ni gan yr heddlu a'n holi, ond gadawyd ni i fynd ymlaen i Ddulyn ac i Dún Laoghaire i ddal y llong i Gymru. Roedd Liam O Gogain, gŵr Llywydd Cyd-bwyllgor Mudiadau Gwyddeleg a Phennaeth yr Adran Gludo, a gyfarfuom yn y Mod, wedi addo ein cwrdd yn y porthladd. Cymerodd ni i'w swyddfa am sgwrs a phaned. Roedd hi'n oriau mân y bore pan ddaethom i mewn i borthladd Caergybi. Wedi gyrru o'r llong a dod i'r dollfa, fe'n stopiwyd ni unwaith eto gan blismon, Sais o Lundain. Gofynnwyd i mi ble'r oeddwn wedi bod yn Iwerddon. Atebais ef yn Gymraeg gan ddweud wrtho i mi fod yn yr Oireachtas. Roedd e'n amlwg wedi ei gythruddo gan ein bod yn gwrthod siarad Saesneg. Gofynnodd i ni lenwi ffurflen uniaith Saesneg yr heddlu, a chwiliodd drwy'r car. Yn y bŵt fe gafodd nifer o bamffledi Cymraeg yn ymwneud ag ymgyrch Madryn. Cymerodd rai ohonynt a mynd i ffwrdd, mae'n amlwg, i ymgynghori â rhywrai. Bu i ffwrdd am hydoedd. Fe'n cadwodd ni yno am awr.

Yn Oireachtas An Cheathrú Rua cawsom wybod ein bod i letya yn Ostan, gwesty moethus Bwrdd Croeso Iwerddon. Aethom at y drws a darganfod bod y gwesty wedi bod ar gau ers mis, cau am y gaeaf yn ôl yr arfer. Toc cyrhaeddodd y gofalwr a'r morynion, a rhuthrwyd i gael pethau i drefn. Wedi hir loetran, rhoddwyd i ni ystafell, ac wedi mynd i mewn, cawsom nad oedd unrhyw ddillad ar y gwely. Aethom ar ein hunion i ginio. Roedd y bwydlenni i gyd yn yr iaith Wyddeleg a chafwyd derbyniad swyddogol, hwyliog. Pan ddaethom yn ôl, wele wely cynnes yn ein haros. Roedd yr Oireachtas yn An Cheathrú Rua yn Ŵyl Wyddeleg i'w chofio, a chawsom y fraint o gael ein cyflwyno i Padrig Hilary, Arlywydd Iwerddon, a oedd, fel y cawsom wybod, wedi astudio'r Gymraeg yn y Brifysgol.

Roeddem wedi ymweld â Llydaw nifer o weithiau cyn cyfnod fy Archdderwyddiaeth. Yn ystod ein hymweliad yn y flwyddyn 1970 digwyddodd i ni basio drwy dref Gwidel a gweld rhybudd ac arno'r gair 'Gorsedd'. Tua hanner dydd wele orymdaith o Orseddogion yn mynd heibio, a dyma ninnau yn eu dilyn. Derwydd Mawr Llydaw ar y pryd oedd Eostig Sarzhaw. Roeddem wedi gobeithio gweld cynrychiolwyr o Gymru yn y cynulliad, ond er syndod i ni, nid oedd neb o Orsedd Cymru yn bresennol. Cawsom wybod yn ddiweddarach fod Bwrdd Gorsedd Cymru wedi gwrthod gwahoddiad i'r seremoni am fod Gorsedd Llydaw wedi bod yn newid dirprwyon â mudiadau heb fod yn Geltaidd eu hiaith, megis *Y Druid Order* a *Collège Druidique des Gaules*. Roeddem yn rhyfeddu at y ffaith bod un o swyddogion Gorsedd Llydaw yn cyfieithu'r ymadroddion defodol i'r Ffrangeg drwy uchelseinydd fel yr âi'r seremoni yn ei blaen. Daeth yr anghydfod rhwng y ddwy Orsedd i ben ym 1971, ac ailgychwynnwyd yr arfer o gyfnewid cynrychiolwyr rhwng Gorsedd Cymru a Llydaw yng ngorsedd Gourin 1972.

Ym 1978 etholwyd Gwenc'hlan ar Skouezek yn Dderwydd Mawr Llydaw, a daeth neges yn erfyn arnaf fel Archdderwydd i'w orseddu mewn gorsedd arbennig i'w chynnal ar dir plas Porz-an-Breton rhwng Kemperle a Moëlan, 2 Medi 1979. Aeth Zonia a minnau yno yn y car gan gasglu'r regalia yn Amgueddfa Werin Cymru, Sain Ffagan ar y ffordd, a theithio ymlaen i Plymouth a dal llong am Rosko. Cawsom ni, ynghyd â nifer o'r swyddogion, lety yn y plas, a bu cyd-fwyta a sgwrsio hir tan berfeddion am Lydaw a dyfodol ei Gorsedd. Arweiniwyd ni fore drannoeth i lofft stabal i ni gael newid i'n hurddwisgoedd, a bu rhaid i ni gerdded drwy ddrain, mieri a danadl poethion a thros bompren sigledig cyn cyrraedd cylch yr orsedd. Wedi i ni gyrraedd cawsom fod camerâu'r BBC gyda'r cynhyrchydd, Rhys Lewis, a'r llefarydd Hywel Teifi Edwards yn cofnodi'r seremoni. Gorseddwyd y Derwydd Mawr newydd heb fawr o ddefod i fanllef y gorseddogion. Yna cafwyd anerchiadau Llydaweg ganddo a chennyf innau, ac estynnwyd canghennau o'r uchelwydd i'r Derwydd Mawr a'r Archdderwydd fel arwydd o'r cyswllt Celtaidd. Wedi dychwelyd i'r plas cawsom fod gwledd arbennig o fwyd môr amheuthun wedi'i harlwyo i ni ar lawnt y plas. Dilynwyd honno gan eitemau Llydewig, a chanodd Zonia a minnau ddeuawd Gymraeg. Treuliwyd gweddill ein harhosiad yn Kemper yng nghartref Jean Sicard *(Yann Brekilien)*, Arwyddfardd Gorsedd Llydaw a Chadeirydd Cymdeithas Llenorion Llydaw. Roedd ganddo lyfrgell eithriadol o gyfoethog. Yno dangosodd i ni gyfrol y bardd Ffrangeg, Lamartine, lle ceir y gerdd 'Toast'. Hon oedd y gerdd, yn ôl yr hanes, a ddarllenwyd yn Eisteddfod y Fenni 1838.

Roeddwn yn aelod o'r ddirprwyaeth orseddol a ymwelodd â Gorsedd Komborn ym Mro Roazon ym 1982. Yr aelod arall oedd Robyn Llŷn. Cyflwynais y cyfarchion o Gymru a chymerodd Robyn ran yn seremoni uno'r deuddarn cleddyf. Cynhaliwyd yr orsedd o fewn muriau'r castell, a min nos cynheuwyd coelcerth fawr fel symbol o'r deffroad Celtaidd, a gorymdeithiwyd o'i chwmpas.

Ym 1982, yn ystod ymweliad Gwenc'hlan, Derwydd Mawr Llydaw, ag Eisteddfod Abertawe trafodwyd ym Mwrdd yr Orsedd ei fwriad a'i gynllun i ddathlu unfed canmlwyddiant ar bymtheg glaniad lluoedd arfog Magnus Maximus (Macsen Wledig) ar y Cyfandir yn y flwyddyn 383 OC a chychwyn y genedl Lydewig. Cytunodd y Bwrdd i gydweithio, a phenodwyd Zonia a minnau i drefnu'r daith. Gyda hyn mewn golwg aeth Zonia a minnau i Lydaw i orsedd a oedd i'w chynnal yn Porz-an-Breton ym mis Mai 1983, ac i wneud trefniadau terfynol. Roedd y dathlu i'w gynnal 19-26

Awst. Daeth rhyw gant ar y daith, rhyw lond bws o'r gogledd a llond bws o'r de. Galwyd ar y ffordd yn Amgueddfa Werin Cymru, Sain Ffagan, am y regalia a'r urddwisgoedd. Roeddem rhyw ddwy awr yn hwyr yn gadael Portsmouth ac yn glanio yn Cherbourg, a chawsom drafferth i gadw'n fanwl at ein rhaglen. Beth bynnag, rhaid oedd torri'r daith yn Mont St Michel i gael ychydig o fwyd, a bu'n rhaid bugeilio'r praidd i'w cael yn ôl i'r maes parcio'n brydlon, oherwydd roedd derbyniad wedi'i drefnu ar ein cyfer yn Neuadd Dinas Roazon yn gynnar yn y pnawn. Dylwn egluro i ni gael trafferth mawr i drefnu'r derbyniad. Roedd yr Awdurdodau Ffrengig yn meddwl mai gweithred wleidyddol oedd y dathlu. Apeliwyd yn llwyddiannus at y Cyngor Prydeinig i ddarbwyllo'r Awdurdodau priodol, a llwyddwyd i gael cymhorthdal oddi wrthynt i dalu treuliau ceidwaid y gwisgoedd a ddaeth gyda ni ar y daith o Sain Ffagan. Yn y derbyniad anerchwyd gan yr Archdderwydd, Jâms Niclas, Gwenc'hlan a'r Maer, a chyfieithodd Herve Helloco eu hanerchiadau. Yna rhannwyd dewis winoedd Ffrainc. Cynhaliwyd cyfarfod cyhoeddus y tu allan i Hen Senedd-dy Llydaw. Areithiwyd yno gan Jâms Niclas a Gwenc'hlan. Cyhoeddwyd cyfieithiad Cymraeg Zonia o araith Gwenc'halan yn *Llawlyfr yr Eisteddfod*, 1983, t.47. Neilltuwyd i Amgueddfa'r ddinas i wrando ar ddarlith gan yr Athro Léon Fleuriot ar 'Yr Ymfudo o Brydain i Lydaw'. Lletyem yn un o hosteli'r Brifysgol. Drannoeth, sef y Sul, cynhaliwyd cyd-orsedd ar lan y llyn yn Pempont. Roedd dirprwyon o Orsedd Cernyw hefyd yn bresennol. Yn ystod ein hymweliad ym mis Mai

149

roeddem wedi methu cael tŷ bwyta digon mawr yn Pempont i fwydo'r holl Orseddogion, a threfnwyd ein bod yn cael defnyddio hen ysgol y pentref i fwyta ac i newid i'n hurddwisgoedd. O'r herwydd, bu'n ofynnol i ni archebu prydau wedi'u pacio ymlaen llaw a dod â'r cwbl ar y bysiau gyda ni o Roazon. Er gwaethaf yr anhwylustod, aeth popeth yn hwylus. Dychwelwyd i Roazon i gysgu'r nos a thrannoeth teithio ymlaen i Kemper a chael llety yn Le Likes, ysgol breswyl yng nghanol y dref. Cafwyd cyngerdd o eitemau Cymraeg a Llydaweg gan y Cymry ar lawnt yr Eglwys Gadeiriol, gyda Meredydd Evans yn cyflwyno'r eitemau yn Gymraeg a Zonia yn Llydaweg. Wedi'r dathlu hwyliog a llwyddiannus a noson lawen dan arweiniad Handel Morgan, teithiau deuddydd i Feini Karnag, Eglwys hynafol Lokorn ac i Beg ar Raz a Douarnenez, roedd hi'n amser, ben bore drannoeth, i ni droi 'nôl i Cherbourg.

Dewiswyd Zonia a minnau i gynrychioli Gorsedd Cymru yng ngorsedd Porz-an-Breton ym 1986 hefyd. Cyflwynais gyfarchion Gorsedd Cymru, a chymerodd Zonia ran yn y ddefod uno'r ddeuddarn cleddyf. Cynrychiolwyd Gorsedd Cernyw yno gan Morwenna Jenkins, merch Bardd Mawr Cernyw, a oedd bellach yn aelod o staff Adran Geltaidd Prifysgol Roazon. Yn y cinio a ddilynodd cawsom gwmni Youenn Gwernig, pennaeth rhaglenni teledu yn Roazon, a fu yn gynharach yn arweinydd yr ymgyrch i'r Llydawyr beidio â thalu trwyddedau darlledu nes cael mwy o Lydaweg yn y rhaglenni.

Erbyn 1987 roedd Gorsedd Llydaw wedi agor

canolfan newydd yn Brasparz, Bro Gerne, ac wedi penderfynu cynnal eu gorseddau yn St Kadvan nid nepell o dref Brasparz. Cynhaliwyd eu hail orsedd yno ddydd Sul, 17 Gorffennaf 1988 a Zonia a minnau oedd y dirprwyon o Gymru. Cyferchais y Gorseddogion ac ymhlith pethau eraill fe eglurais mai canrif a hanner yn ôl i'r flwyddyn, sef yn 1838 yn Eisteddfod y Fenni, yr urddwyd y Llydawr cyntaf, sef Kervarker, yn fardd yng Ngorsedd Beirdd Ynys Prydain gan Cawrdaf. Yn y seremoni uno'r ddeuddarn cleddyf Zonia oedd yn cario hanner Cymru. Arlwywyd gwledd yng ngwesty gwledig Meil Skiriou wedi'r seremoni, a chan nad oedd llawer o orseddogion Llydaw yn deall Llydaweg, galwyd ar Zonia i ddweud gair yn Ffrangeg. Fe soniodd am fwriad Gorsedd Cymru i ddathlu daucanmlwyddiant sefydlu Gorsedd Beirdd Ynys Prydain yn ystod Eisteddfod Genedlaethol Aberystwyth ym 1992 gan erfyn ar Orseddogion Llydaw i anfon dirprwyaeth gref i'r dathlu.

Dyletswyddau Archdderwyddol Eraill

Ymhen tair wythnos, sef Hydref 31, cefais y profiad amheuthun o ddarlithio yng Ngholeg Churchill, Caergrawnt ar bwnc o ddewis myfyrwyr Cymraeg y Brifysgol eu hunain, sef 'Cyfraniad yr Archdderwydd i fywyd Cymru', ar wahoddiad D Hugh Jones o Goleg Crist, ysgrifennydd Cymdeithas y Mabinogi.

Yn niwedd y Saithdegau bu dadlau brwd ynghylch y *vers libre* cynganeddol a phrif gystadlaethau barddoniaeth yr Eisteddfod. Roedd peth ymgecru wedi bod yn mynd ymlaen er 1974 pryd y sefydlwyd panel gan Gyngor yr Eisteddfod i ystyried a oedd 'angen unrhyw gyfnewidiadau yn rheolau Cerdd Dafod'. Ysgrifennydd y panel hwnnw oedd T. Llew Jones. Roeddwn yn aelod o'r panel hwnnw a chafwyd trafodaeth o dan gadeiryddiaeth Thomas Parry, ond ar fanion yn unig y bu cytuno, ac ni ddaeth nemor ddim o werth o'r trafodaethau. Yn unol â chyfrifoldebau a dyletswyddau'r Orsedd fel y cofnodir hwynt yng Nghyfansoddiad yr Eisteddfod Genedlaethol, penderfynodd Bwrdd yr Orsedd a gynhaliwyd yn y Drenewydd, 20 Mai 1978, ddewis panel o chwe phrifardd i ystyried o'r newydd reolau cystadlaethau'r Gadair a'r Goron, sef Euros, Bryn, Brinli, Tilsli, Gwyndaf a minnau. Cyfarfu'r pwyllgor yn Aberystwyth a phenderfynwyd argymell i Fwrdd yr Oredd y geiriad canlynol i gystadlaethau'r Gadair a'r Goron: Y Gadair — Cerdd mewn cynghanedd gyflawn, heb fod dros 300 llinell; Y Goron — Pryddest neu Ddilyniant o Gerddi, cerdd neu gerddi heb eu cynganeddu, a heb fod dros 300 llinell. Derbyniwyd yr adroddiad yn unfrydol gan y Bwrdd, 1 Gorffennaf 1978, a chan Gyfarfod Blynyddol yr Orsedd yn ystod Eisteddfod Caerdydd, 8 Awst, ac o'r Maen Llog yn seremoni cyhoeddi Eisteddfod Dyffryn Lliw, 30 Mehefin 1979, gwneuthum ddatganiad i'r perwyl. Ysgrifennais erthygl ar 'Ymnewid fu hanes yr Awdl' i rifyn Eisteddfodol y *Western Mail* wythnos Eisteddfod Caernarfon 1979, ac mewn araith o flaen Cyngor yr Eisteddfod, 12 Ionawr 1980, dadleuais dros benderfyniad Bwrdd yr Orsedd i ganiatáu *vers libre* cynganeddol mewn Awdl, a chyflwynais gynnig i'r perwyl hwnnw. Rhybuddiais y Cyngor y byddai'r frwydr yn parhau, pe bai Cyngor yr Eisteddfod yn gwrthod cynnig yr Orsedd. Gwyddwn o brofiad y byddai'r ffaith mai'r Archdderwydd a ddaethai â'r cynnig gerbron yn ddigon i'r cynnig gael ei wrthod. A'i wrthod a gafodd. Cyhoeddwyd fy araith yn *Barddas*, Ionawr 1979, ac fe'i hailargraffwyd yn *Trafod Cerdd Dafod y Dydd*, gol. Alan Llwyd 1984. Pan wahoddwyd fi gan Olygydd y *Western Mail* i gyfrannu erthygl arall i rifyn arbennig o'r papur a oedd i ymddangos 3 Awst 1985 yn ystod Eisteddfod Genedlaethol y Rhyl, dadleuais ymhellach dros ganiatáu *vers libre* cynganeddol mewn Awdl. Ymhlith pethau eraill fe ddywedais:

> Ni ellir diffinio Awdl. Yr unig beth y gellir ei wneud yw olrhain ei hanes a dangos yr ymnewid a fu dros y canrifoedd o fod yn gerdd unodl ddigynghanedd i fod yn gerdd gynganeddol ar nifer o fesurau caeth gwahanol. Bellach ceir awdlau sy'n gerddi *vers libre* cynganeddol.

. . .Ysywaeth mae geiriad cystadleuaeth y Gadair gan amlaf yn gwneud y gystadleuaeth honno yn gaeëdig i feirdd y *vers libre* cynganeddol. Yn wir mae'r rhaglenni barddoniaeth ers tro yn ymgais rhwydwaith o feirdd ceidwadol i ffrwyno datblygiad barddoniaeth . . . Edrycher ar raglenni Eisteddfod Genedlaethol y pymtheng mlynedd diwethaf, ac fe welir na fu unrhyw gystadlaethau barddol o gwbl lle y gofynnid yn bendant am gerdd *vers libre* cynganeddol.

Yn yr un erthygl cyhuddais yr Eisteddfod o anwybyddu 'y gamp fwyaf pwysig a ddaeth i'n mydryddiaeth, sef y gamp o gyfuno'r gynghanedd a *vers libre*'.

Ym mis Hydref 1979 cafwyd gwybod drwy Wynne Lloyd o Adran Addysg y BBC fod trefnyddion Arddangosfa Geltaidd Hallein, Salsburg yn awyddus i weld dirprwyaeth o Orsedd Beirdd Ynys Prydain yn agoriad swyddogol yr Arddangosfa Geltaidd, *Die Kelten in Mitteleuropa*, 1 Mai 1980. Enwebwyd yr Archdderwydd a'r Cofiadur, Jâms Niclas, a gofynnwyd i'r Archdderwydd ddewis dau gynrychiolydd arall, dwy ferch, y naill o garfan y wisg las a'r llall o garfan y wisg werdd, telynoresau, datgeiniaid neu ddawnswyr gwerin, os oedd yn bosibl, gan fod disgwyl iddynt roi eitemau mewn cyngerdd. Dewiswyd Siân Aman a Thelynores Llwchwr. Cefais wybod gan Alfred Winter, Trefnydd yr Agoriad, y buasai'n danfon y tocynnau i'r maes glanio yn Llundain, a'r unig beth oedd gennyf i'w wneud oedd gofyn amdanynt wrth y ddesg. Pan gyrhaeddais y ddesg a gofyn i'r ferch am y tocynnau, cefais wybod nad oedd yno docyn i neb o'r enw Geraint Bowen. Wedi i mi ddangos iddi lythyr Alfred Winter, aeth ar y ffôn i

Salsburg. Toc wedyn fe estynnodd docyn i mi. Roedd y tocyn yn enw The Archdruid Geraint.

Pan laniodd yr awyren yn Salsburg roedd Llywydd Talaith Salsburg yn ogystal â gohebwyr y cyfryngau a'u camerâu yno i'n cyfarch. Cawsom ein cludo i'r ddinas mewn steil, a phan ymddangosodd y pedwar ohonom mewn urddwisgoedd yn y seremoni agoriadol yn Hallein cawsom groeso brwd wrth fynd i mewn i'r neuadd i seiniau Caryl Thomas ar y delyn. Arlywydd Awstria y Dr Rudolf Kirchschlager, oedd yn agor yr arddangosfa, a chawsom ninnau y fraint o'i gwmni mewn cinio yn Bad Durrnbag yn ddiweddarach. Dywedodd wrthym ei fod wedi ymweld â Chymru ddwywaith, a'i fod wedi aros ym Machynlleth. Yn y cinio gofynnwyd i mi annerch y gwesteion yn Gymraeg, ar gais arbennig yr Arlywydd. Roeddwn wedi trefnu i Dafydd Meurig Thomas, swyddog ym Mwrdd Croeso Cymru a oedd wedi priodi merch o Awstria ac a oedd wedi teithio'n arbennig i'r Arddangosfa, ddarllen cyfieithiad i'r Almaeneg o'r hyn roeddwn yn bwriadu ei ddweud. Buasai Mrs Geraint ap Iorwerth, Pennal, mor garedig â gwneud fersiwn Almaeneg i mi ymlaen llaw. Roedd hi'n amlwg o'r ffordd roedd rhai o'r gwesteion yn syllu arnaf yn fy regalia fod gennyf lawer i'w esbonio. Rhywbeth fel hyn oedd fy neges:

Mae gennych chi yn Awstria olion gwerthfawr o ddiwylliant materol ein hynafiaid Celtaidd ac rydych, fel y mae'n iawn i chi fod, yn falch ohonynt. Rydym ni yng Nghymru, Iwerddon, yr Alban, Llydaw, Cernyw ac Ynys Manaw yr un mor falch o'r ffaith ein bod wedi cadw hyd heddiw ein hunaniaeth fel Celtiaid a'n bod yn siarad ieithoedd sy'n disgyn o'r Famiaith Geltaidd a siaredid yn y cyfnod cyn-Rufeinig yn eich gwlad hanesyddol chwithau. Canolbarth Ewrop oedd crud y Celtiaid. Rwyf yn eich annerch y funud yma yn un o'r ieithoedd Celtaidd hyn, sef yr iaith Gymraeg, iaith trigolion Prydain am o leiaf bymtheg canrif cyn i air o Saesneg gael ei glywed ar ei thraethau.

Rydwyf i a'm cymdeithion yn ein gwisgoedd derwyddol yn cynrychioli Cymdeithas Genedlaethol sydd wedi ymrwymo i gadw ein hunaniaeth Geltaidd, unigryw. Perthynwn i'r Gymdeithas Gymraeg hynaf o awduron, beirdd, cerddorion, artistiaid ac arweinyddion bywyd Cymru sy'n cyhoeddi i'r byd eu hymrwymiad i wasanaethu Cymru, yr iaith Gymraeg a'n diwylliant, ac yn dathlu'n flynyddol y ffaith ein bod wedi goroesi fel Celtiaid drwy gynnal pasiant Celtaidd yn ein Gŵyl Genedlaethol, yr Eisteddfod.

Symbol yw'n Cymdeithas ni o'r her Geltaidd i unrhyw iaith neu ddiwylliant estron sydd heddiw yn bygwth ein hunaniaeth a pharhad y bobl hynny sy'n siarad un o'r ieithoedd Celtaidd.

Wedi'r cinio aethom yng nghwmni'r Arlywydd i lawr i un o'r gweithfeydd halen tanddaearol. Wrth fynd i mewn dangoswyd i ni nifer o dwneli lle y cafwyd olion offer a ddefnyddid yn y cyfnod cyn Crist gan y Celtiaid, y cyntaf, hyd y gwyddys, i weithio'r pyllau. Erbyn heddiw mae'r dulliau o gael yr halen wedi newid yn gyfan gwbl. Bellach toddir yr halen drwy ollwng dŵr i mewn i'r ddaear ymhell i fyny uwchlaw'r gwaddodion halen, ac arweinir yr halen tawdd i lynnoedd tanddaearol. Oddi yno fe'i pympir i'r purfeydd ar lawr y dyffryn.

Yn y cyngherddau a gynhaliwyd yn ystod ein hymweliad cafwyd eitemau gan Siân Aman a

Thelynores Llwchwr, yn ddawns ac yn ddatganiad ar y delyn a hefyd ganeuon gan Y Diliau.

Roeddwn, yn ystod fy nghyfnod yn olygydd *Y Faner* yn fy nodiadau golygyddol, wedi dadlau ei bod hi'n hen bryd i'r genedl godi creirfa genedlaethol er cof am dywysogion brodorol Cymru, ac fe ysgrifennais at John Morris, Ysgrifennydd Gwladol Cymru, yn gofyn iddo gefnogi ymgyrch o'r fath. Cefais ateb, ond nid un a oedd yn gefnogol i'r syniad.

Ar wahoddiad y mudiad 'Cofiwn' euthum 7 Hydref 1978 i seremoni ddadorchuddio beddfaen Llywelyn ein Llyw Olaf, symbol o'n hunaniaeth fel cenedl, a gynhaliwyd yn adfeilion Abaty Cwm-hir ym Mhowys. Agorwyd y seremoni gan Cliff Bere, ac anerchwyd gan yr Athro Dewi Prys Thomas, Caerdydd. Dilynais innau gydag anerchiad ar arwyddocâd yr achlysur, ac arweiniais ddefod y dadorchuddio. Talwyd y deyrnged drwy ostwng baneri, galarnad ar y pibau gan Piaras Ó Gréagáin a gosod torchau o flodau. Daeth y seremoni i ben drwy ganu 'Hen Wlad Fy Nhadau'.

Ar 23 o Fedi, 1982 adeg Archdderwyddiaeth Jâms Niclas trefnodd Bwrdd yr Orsedd gyfarfod i goffáu Llywelyn ein Llyw Olaf, Tywysog Cymru. Gorymdeithiodd y Gorseddogion o Lanelwedd drwy Lanfair-ym-Muallt at faen coffa Llywelyn yng Nghilmeri. Yno cafwyd unawdau, adroddiadau a dawns, a chanwyd emyn wedi'i gyfansoddi yn arbennig ar gyfer yr achlysur gan fy mrawd, Euros. Anerchais innau, fel Cyn-archdderwydd, ar arwyddocâd y cyfarfod, gan ddweud:

Yng Nghynhadledd y Beirdd, cynulliad a oedd yn cyfateb i Gyfarfod Blynyddol Gorsedd y Beirdd, a gynhaliwyd yn Eisteddfod Conwy ym 1861, penderfynwyd ymuno ag ymgyrch i godi cofeb Genedlaethol i Lywelyn ap Gruffudd, Llywelyn Ein Llyw Olaf, Tywysog Cymru, a rhoi iddo ei deitlau eraill — Cadarnllew Gwynedd, Brenin Aberffraw, Llywelyn yr Ail, ond nid oes cofnod i fawr ddim ddod o'r penderfyniad, a mynegodd Ceiriog, a fu ar un adeg, gyda llaw, yn llywyddu gorseddau ac yn Geidwad y Cledd, siom ei gyd-genedl fod yr ymgyrch wedi methu pan ganodd:

'I feddrod Llywelyn mae'r pridd wedi suddo
Ac arno'r glawogydd arhosant yn llyn.'

ac mae'n gofyn y cwestiwn:

'Pa le mae gwladgarwch yn dangos ei wedd?'

Erbyn hyn, diolch i ymroad cydwladwyr canrif yn ddiweddarach, dangosodd gwladgarwch ei wedd yn y gofeb hon. Dyma ni, bellach, wedi gallu goresgyn y rhwystredigaeth a brofwyd gan feirdd ganrif yn ôl ac wedi ymgynnull i gyhoeddi i'r genedl ac i'r byd ein bod wedi ymgynnull wrth y Gofeb, ein bod yn arddel ein Tywysogion, a'n bod wedi ein hymrwymo ein hunain i fod yn deyrngar i'n gwlad, i'n cenedl, i'w hanes, i'w harwyr, i'w diwylliant ac i'r iaith Gymraeg. Gwadu'r gwir yw gwadu ein hanes, a'n harwyddair ni fel Gorseddogion yw — Y gwir yn erbyn y byd.

Yng nghyffiniau'r Gofeb hon, ym mhlwyf Llanganten, y lladdwyd Llywelyn ar yr unfed ar ddeg o Ragfyr, saith can mlynedd yn ôl. Roedd Llywelyn, yn ôl yr achau a chof y Beirdd, o linach brenhinoedd y Brytaniaid, hynafiaid y Cymry, a fu'n amddiffyn Prydain rhag y Rhufeiniaid a'r Sacsoniaid. Roedd brenhinoedd y Saeson yn ymwybodol o hyn, ac roedd y ffaith bod un o wehelyth y cynfrodorion yn dal i lywodraethu mewn un cwr o Brydain yn hunllef iddynt. I Lywelyn, treiswyr, trawsfeddianwyr ac ymhonwyr oedd brenhinoedd Lloegr. Llywodraethent dros diroedd a fuasai unwaith yn eiddo i'w hynafiaid Brythonig ef. Ceisio amddiffyn a chadw i'w bobl yr hyn a oedd yn weddill o'r etifeddiaeth Brydeinig roedd Llywelyn pan laddwyd ef.

Mewn llythyr at Edward, Brenin y Saeson, eglurodd Llywelyn fod gan y Cymry hawl i ddefnyddio Cyfraith Hywel Dda a'i gweithredu. 'Yn ôl pob egwyddor gyfiawn', meddai, 'dylem fwynhau ein cyfraith a'n defodau Cymreig fel cenhedloedd eraill ac yn ein hiaith ein hunain.'

Lladdwyd Llywelyn ar lan Afon Irfon. Claddwyd ei gorff gan fyneich yn Abaty Cwm-hir, a danfonwyd ei ben gan filwyr Edward i Lundain i'w osod ar y Tŵr. Meddai'r croniclydd: 'Ac yna y bwriwyd holl Gymry i'r llawr', — hynny yw, collodd Cymru ei sofraniaeth wleidyddol, canys ym mherson y Tywysog y trigai'r sofraniaeth honno. Dyna sut y syniai'r Oesau Canol annemocrataidd am sofraniaeth wleidyddol.

Ond ni chollodd Cymru ei sofraniaeth ddiwylliannol. Gallwn briodoli hyn i rymuster y gyfundrefn farddol a oedd yn ei hanterth pan fu farw Llywelyn, prif noddwr beirdd ei gyfnod.

Rydym yn gallu coffáu Llywelyn heddiw nid yn unig am iddo gario baich sofraniaeth wleidyddol cenedl y Cymry mewn oes o enbydrwydd a gorthrwm ac iddo fod yn ffyddlon hyd angau, ond am iddo hefyd noddi a chynnal fel tywysogion eraill Cymru o'i flaen, feirdd, llenorion a thelynorion, y rhai a oedd yn byw i harddu bywyd cymdeithas â'u dychymyg a'u hathrylith, megis Meilir, bardd Gruffydd ap Cynan, Gwalchmai, bardd Owain Gwynedd, Cynddelw Brydydd Mawr, bardd Llywelyn Fawr, Gwynfardd Brycheiniog, bardd yr Arglwydd Rhys a Gruffydd ap yr Ynad Coch, y bardd a gyfansoddodd yr awdl wych i Lywelyn ein Llyw Olaf.

Roedd y traddodiad barddol yn wir yn anterth ei nerth pan fu farw Llywelyn, a gadawodd ar ei ôl draddodiad llenyddol a oedd yn ddigon grymus i oroesi cyfnod argyfyngus, pryd roedd yr uchelwyr Cymreig yn atebol i feistri Normanaidd a Seisnig a Chymru'n wleidyddol yn rhanedig. Eto, yn ddiwylliannol roedd Cymru yn unedig a'r beirdd yn cael croeso ymhob parth o'r wlad. Yr un iaith oedd o Gonwy i Nedd. Cofiwn fod ewyrth Dafydd ap Gwilym yn Gwnstabl y Castell Normanaidd yn Emlyn a bod Gruffudd ap Niclas a drefnodd Eisteddfod Caerfyrddin 1450 yn Stiward i Frenin Lloegr yn Neau Cymru. Cadwodd y genedl ei sofraniaeth ddiwylliannol hyd yn oed wedi i'r drefn uchelwrol ymddatod. Y pryd hwnnw daeth y werin i'r adwy.

Pedair canrif yn ddiweddarach gallai Iolo Morganwg ddweud yn Eisteddfod Caerfyrddin 1819 — 'Mae barddoniaeth Cymru wedi diogelu i ni ein hiaith yn ei holl burdeb.' Aeth ymlaen i erfyn ar feibion y werin i goleddu ein barddoniaeth a chydnabod camp yn yr hen gelfyddyd. Trwy sefydlu Gorsedd y Beirdd gobeithiai adennill yr hen ogoniant a chael ffordd i ddwyn urddas a chydnabyddiaeth i fardd a llenor a choleddwr y celfyddydau. Galwodd y saer-maen o Forgannwg a'r gweledydd, Iolo, ar werin Cymru i gario iau Tywysogion Cymru a'u huniaethu eu hunain â thynged eu gwlad a'u hiaith. Dyma ni heddiw yn dangos i Gymru ac i'r byd ein bod yn gwneud hynny. Hyn yw ein braint a'n cyfrifoldeb.

Trefnodd y mudiad 'Cofiwn' eu Rali hwythau yn yr union le ar yr unfed ar ddeg o Ragfyr i nodi saith canmlwyddiant marwolaeth Llywelyn, a gofynnwyd i mi gadeirio'r seremoni wrth y Gofeb. Ar gais 'Cofiwn' cyfansoddais gyfres o englynion coffa i'r Tywysog, a chyflwynwyd copïau argraffedig ohonynt i'r bobl ifainc a oedd yn bresennol yn y cyfarfod. Prif siaradwr y cyfarfod oedd Gwynfor Evans.

Cynhaliodd 'Cofiwn' Rali arall yng Nghaernarfon, 30 Gorffennaf 1983 i wrthdystio yn erbyn Bwrdd Twristiaeth Cymru yn cynnal Gŵyl Cestyll Cymru a thrwy wneud hynny yn dathlu darostyngiad cenedl Y Cymry ac yn clodfori gorthrwm a thrais. Cadeiriwyd y cynulliad gennyf i ac areithiwyd gan nifer o siaradwyr gan gynnwys Zonia ar ran Cangen Cymru o'r Undeb Celtaidd yr oedd hi'n gadeirydd arni ar y pryd.

Mewn Gwledydd Tramor

Rhywbryd un min nos tua'r Nadolig, 1983, daeth yr Athro J. E. Caerwyn Williams ar y ffôn yn dweud bod yr Athro Gordon Maclennan o Adran Ieithoedd Modern Prifysgol Ottowa yn gofyn a fuasai Zonia a minnau yn fodlon dod yn athrawon dros dro yn yr Adran, Zonia i ddysgu Llydaweg a minnau Gymraeg am dri mis. Roedd Zonia wedi bod yn dysgu Llydaweg yng Ngholeg Meirionnydd ac wedi cyfansoddi gwerslyfr Llydaweg, sef *Llydaweg i'r Cymro*, a llyfryn o ymadroddion Llydaweg hwylus, *Yec'hed Mat/Iechyd Da!* a chyfieithu nofel Lydaweg, *Alan a'r Tri Brenin*, Roparz Hemon, i'r Gymraeg. Wedi ychydig eiliadau o gyddrafod atebwyd yn gadarnhaol. Yn ôl addewid Maclennan, cyrhaeddodd y tocynnau awyren cyn pen wythnos, ac roeddem, am 3.40 fore Sadwrn 7 Ionawr, ar fwrdd yr awyren yn Heathrow yn cychwyn am Ganada. Glaniwyd ym Montreal, a daliwyd awyren fach i'n cludo i Ottowa. Roedd hi'n eithriadol o oer, 20 gradd islaw'r rhewbwynt a'r eira'n drwchus ymhob cyfeiriad. Yn ein disgwyl ar y maes glanio roedd Talfryn a Shirley Griffiths, ein gwesteiwyr am y mis cyntaf. Cartrefent yn 52 Amberwood Crescent, Country Place, Nepean. Hanai Talfryn, swyddog yn y Swyddfa Addysg yn Ottowa, o sir Gaerfyrddin a Shirley o Lanberis, Gwynedd, ac roeddynt ill dau yn aelodau o bwyllgor Cymdeithas Geltaidd Ottowa, y ddau yn Gymry hiraethus. Roedd Tal yn gyfeilydd penigamp. Trodd seler ei dŷ yn esgus o dafarn, a'r gair Felin-foel yn amlwg ar y muriau. Byddai'n gwahodd ei gyd-Gymry unwaith y mis i gyfrannu o'i ddarpariaeth hael o ddiod gadarn ac o emynau lleddf.

Y Sul cyntaf cymerwyd ni o gwmpas y ddinas a'r cyffiniau i ni weld y wlad. Dydd Llun trefnwyd i ni gyfarfod â'r Athro Maclennan, a chyflwynwyd ni i swyddogion y Brifysgol. Wedi deall bod yr Athro ei hunan yn cynnal gwersi Gwyddeleg, darfu i ni ein dau ymuno â'r dosbarth. Drannoeth roedd y cyrsiau Cymraeg a Llydaweg yn cychwyn, pob gwers i bara am deirawr. Rhyw labrinth o le oedd campws y Brifysgol, a chan fod cymaint o eira ar lawr roedd hi'n anodd dod i adnabod y lle. Cyfarfyddai'r dosbarth Cymraeg, rhyw ddwsin o fyfyrwyr, yn Tabaret Hall, a'r dosbarth Llydaweg, rhyw bymtheg, yn yr Adeiladau Mathemateg.

Roedd cymwysterau a chefndir y myfyrwyr yn amrywio'n fawr, rhai yn fewnfudwyr o Gymru neu Lydaw ac yn medru rhyw gymaint, un neu ddau gryn lawer, o Gymraeg neu Lydaweg, ac yn raddedig eisoes mewn pynciau amrywiol. Roedd un aelod o'r dosbarth Cymraeg, er enghraifft, yn hanner Indiad a'i ddiddordeb mewn mytholeg Celtaidd a oedd wedi ei arwain i'r dosbarth, ac roedd un aelod o'r dosbarth Llydaweg yn dilyn y dosbarth am ei fod yn barnu y byddai gwybod rhyw gymaint o Lydaweg yn gymorth iddo yn ei ymchwil i hen longddrylliadau Llydewig ar arfordir Canada.

Heblaw cymryd y dosbarthiadau iaith, byddem hefyd yn traddodi darlithiau ar lenyddiaeth Gymraeg a

Llydaweg i ddosbarthiadau yn yr Adran Efrydiau Allanol ac i'r cyhoedd. Byddem yn cael ein gwahodd i gyfarfodydd cymdeithasol y Gymdeithas Geltaidd, i dŷ gweddw Llysgennad Iwerddon a chartrefi'r Cymry, y Llydawyr a'r Gwyddelod a welwyd yn y dosbarthiadau. Daethai'r Dr MF Yalden, Comisiynydd yr Ieithoedd Swyddogol, yr oeddem wedi ei gyfarfod yn Nhal-y-llyn ym 1978 pryd yr oedd ar ymweliad â Chymru i astudio'r polisi dwyieithrwydd, i glywed ein bod yn Ottowa a chawsom gyfle i adnewyddu ein hadnabyddiaeth â'n gilydd, a threfnwyd i ni ymweld â'r Senedd-dy hefyd. Buom yn siarad ar y radio a'r teledu mewn cyfres o'r enw 'UK Connection'.

Cawsom wybod y byddem yn cael yr ail wythnos o Chwefror yn rhydd a phenderfynwyd teithio ar draws Canada i Vancouver. Bu Shirley mor garedig â chysylltu â ffrindiau iddi yn y gwahanol ddinasoedd gan symud pob ansicrwydd a phryder. Cymerwyd awyren o Ottowa am 7.45 y bore, 14 Chwefror, ar draws eangderau'r wlad i Calgary. Yno yn y maes glanio am 11.25 i'n cyfarfod roedd y Cymry croesawgar, H. M. Rowe a'i wraig. Drannoeth daliwyd trên am 10.30 i Vancouver, taith ddeuddydd ar hyd rheilffyrdd a oedd yn orchestwaith peirianyddol drwy'r Rockies, mynydd-dir uchel o olygfeydd ysgytwol a oedd ar y pryd o dan luwchfeydd eira trwchus. Yn ein disgwyl am 7.00 o'r gloch y bore ar orsaf Vancouver roedd Gwenfyl Jones, athrawes yn y ddinas, ysgrifennydd Cymanfa Ganu Gogledd America ac ymwelydd cyson â'r Eisteddfod Genedlaethol. Pedair awr ar ddeg yn unig a oedd gennym i aros yn y ddinas oherwydd roeddem, yn ôl ein cynllun, i ddal y trên yn ôl am chwarter i ddeg y noson honno. Aeth Gwenfyl â ni ar wibdaith o gwmpas y ddinas, i olwg y Môr Tawel, ac i weld y golygfeydd a lleoedd o bwys, a'r noson honno cawsom swper mewn caffe ar dop twr uchel a droellai fel cloc yng nghwmni John a Hazel Williams. Roedd John wedi'i eni yng Nghorris a Hazel yn Rhosllannerchrugog, y ddau yn athrawon yn y ddinas. Ar y ffordd yn ôl drwy'r Rockies, torrwyd ar y daith mewn lle o'r enw Kamloops, a chysgu'r nos yno yng nghartref cyfyrder i Zonia. Parhawyd ar y daith drannoeth i Calgary. Roedd hi'n hanner nos arnom yn cyrraedd yno, a daliwyd y bws olaf am Edmonton i ymweld â chyfyrder arall i Zonia. Nyni oedd yr unig rai ar y bws, a theimlem yn flinedig iawn wedi'r daith wyllt. Er syndod i ni roedd cyfleusterau gwneud paned a chael tamaid i'w gnoi yng nghefn y bws, a chawsom ein diwallu am y tro. Roedd hi'n berfeddion nos arnom yn cyrraedd Edmonton, ond roedd perthynas Zonia wrth yr orsaf bws i'n cyfarfod. Wedi dwy noson yno, dychwelyd i Calgary i ddal yr awyren yn ôl i Ottowa yn ddi-oed, oherwydd roedd Zonia a minnau i ddarlithio drannoeth yn y Brifysgol.

Cyn ymadael am Vancouver roeddem, yn ôl y trefniant, wedi symud i lety newydd gyda John a Gwyneth Watkin yn The Driveway, Ottowa. Roedd John yn wyddonydd mewn sefydliad milwrol yn arbrofi ar belydrau laser, ac wedi ei fagu yn Meifod, Maldwyn, a Gwyneth yn aelod o staff y Bwrdd Addysg ac yn Gardi.

Wedi dwy noson o gwsg yn ein llety newydd, aeth John a Gwyneth â ni, 24 Chwefror, yn eu car i Omemee lle roedd mam yng nghyfraith Steffan, ein mab, yn byw. Oddi yno aethom ar fws i Oshawa ar gyrrau Toronto ar gyfer gwledd a noson lawen i ddathlu Gŵyl Ddewi ar wahoddiad y Parch Cerwyn Davies, brodor o Sir Benfro a gweinidog yn Agincourt yn ymyl Toronto. Galwyd arnaf i draethu ar arwyddocâd yr achlysur, a thraethais i'r un perwyl yng nghapel Cerwyn drannoeth. Bu yntau nid yn unig mor garedig â rhoi llety i ni, ond fe aeth â ni i weld golygfeydd Toronto a Rhaeadr Niagara. Wedi penwythnos cofiadwy, roeddem yn ôl yn y Brifysgol yn darlithio.

Ar y 3ydd o Fawrth, cynhaliwyd cinio Gŵyl Ddewi mawreddog yn Ottowa. Yn ystod y cinio deuthum wyneb yn wyneb â meddyg o Gymro a oedd wedi'i eni i deulu a oedd yn aelodau yn Eglwys yr Annibynwyr, Edwardsville, Pennsylvania lle y buasai fy nhad yn weinidog dros dro yn ôl yn yr Ugeiniau. Pan soniais am fy nhad, fe ruthrodd allan i'w gar a daeth yn ôl ag adroddiad cyfredol y capel i mi ei weld.

Y penwythnos dilynol roeddwn i ddarlithio ym Mhrifysgol Havard yn Cambridge ar wahoddiad yr Athro John Armstrong. Roedd Eurig Davies, gwyddonydd yn Labordy Ymchwil Cambridge a Chardi o Lan-non wedi gwneud y trefniadau, ac fe'n gwahoddodd i aros gydag ef. Roeddwn i ddarlithio ar dwf y gynghanedd a hefyd i ddarllen cerddi o'm gwaith. Nid oedd hyn wedi'i drefnu cyn i mi adael Cymru, ac nid oeddwn wedi dod ag unrhyw gerddi o'm gwaith gyda mi, ac roeddwn i'n ofni na fedrwn gofio digon i gynnal y sesiwn. Cyn gadael Cymru roedd Alan Llwyd wedi pwyso arnaf i gasglu fy ngherddi i'w cyhoeddi, minnau wedi cydymffurfio, ac yntau wedi'u trosglwyddo i Wasg Gwynedd. Cysylltais â Gerallt Lloyd Owen yng Ngwasg Gwynedd gan ofyn iddo anfon y teipysgrif ataf i Ottowa. Diolch i Gerallt, fe gyrhaeddodd y cerddi mewn pryd. Ymddangosodd *Y Cerddi* yn gyfrol ym 1984 gan gipio gwobr Cyngor y Celfyddydau am y flwyddyn.

Daliwyd awyren i'n cario i Efrog Newydd. Roedd Shirley Griffiths wedi cysylltu â nifer o Gymry'r ddinas honno a sôn am ein bwriad i ymweld â'r ddinas ar ein ffordd i Cambridge. Yn rhyfedd iawn, Cymro o Gastell-nedd oedd prif swyddog adran *freight and cargo* y maes glanio yn Efrog Newydd. Roedd yn disgwyl amdanom, a chawsom ein tywys ganddo allan o'r maes yn ddidrafferth a hynny heb i ni orfod dangos ein *visas*. Fe aeth â ni o gwmpas y ddinas yn ei gar, gan ofalu wrth fynd drwy'r parthau tlotaf fod drysau'r car ar glo, ac yna ar y fferi ar draws yr afon Hudson heibio i'r Gofeb Ryddid. Hanner dydd cyfarfuom â Dr Arturo Lewis Roberts, aelod o'r Orsedd a golygydd y papur Americanaidd *Nyni*, ac fe'n cymerwyd i westy moethus am bryd o fwyd ac i weld siopau, orielau ac amgueddfeydd. Dychwelwyd i'r maes glanio, a chyn nos roeddem yn Boston, ac roedd Eurig Davies yn y maes glanio i'n cyfarfod, ac yn ei gwmni ef yr aeth Zonia a minnau i Brifysgol Havard i'n darlithiau. Yn y gwesty wedi'r ddarlith cyfarfuom â nifer o Gymry brwd a dysgwyr ein hiaith.

Pythefnos yn ddiweddarach aethom ar fws i Montreal ar wahoddiad John Williams, aelod o staff Llyfrgell Coleg McGill, lle y cafwyd trafodaeth ar ddwyieithrwydd gyda Doug Ellis, Pennaeth yr Adran Ieithoedd Modern a'i staff. Roedd John wedi cael ei addysg yn Ysgol Dolgellau, ac yn medru nifer o ieithoedd. Roedd yn briod â Llydawes. Cawsom ein cyflwyno i ddarlithydd, gwraig groen tywyll a fu am gyfnod yn byw yng ngogledd Cymru ac a fedrai Gymraeg.

Roeddem yn lletya yn ystod mis olaf ein harhosiad yn Ottowa yn fflat Dr Wendy Jones ar y degfed llawr yn Seignory, Wurtemburg Street yn edrych dros yr afon Rideau, cangen o'r afon St Lawrence. Roedd hi wedi mynd ar ei gwyliau i Bermuda, ac roedd Zonia a minnau ar ein pennau ein hunain yn y fflat. Tua'r amser yma daethom i adnabod merch o'r enw Dilys Thomas, cyfnither i Alun Jones, Llwyn-glas, Tal-y-bont, Ceredigion. Daethai ei thad-cu i Ottowa ddiwedd y ganrif ddiwethaf a chodi melin goed wrth aber yr afon Rideau, ac ymgyfoethogi. Trigai ei theulu yn y rhan fwyaf moethus o Ottowa, sef yn Buena Vista, Rockcliff. Roedd hi wedi bod yn sglefriwr o fri ac wedi cipio nifer o wobrau. Trwyddi hi cawsom docynnau yn rhad ac am ddim i fynd i wylio Cystadlaethau Sglefrio'r Byd, 25 Mawrth 1984. Roedd un cwpl ar hugain yn cystadlu o bob cwr o'r byd, yn cynnwys yr enillwyr, Torvill a Dean. Roedd yn brofiad cyffrous i'w gweld.

Cynhaliwyd yr arholiadau Cymraeg a Llydaweg 4 Ebrill. Buom wrthi am ddiwrnod yn eu pwyso a'u mesur, a chyflwynwyd y marciau i'r Gofrestrfa. Nos Sadwrn cawsom ginio ymadawol yn fflat Wendy Jones a oedd bellach wedi dychwelyd o Bermuda, a thrannoeth teithiem o Ottowa yn ôl i Heathrow. Roedd

Steffan, y mab, yn ein cyfarfod yno i'n dwyn i'w gartref ger Cheltenham.

Roeddem fel teulu wedi bod ar nifer o deithiau tramor dros y blynyddoedd. Buom yn gwersylla a charafanio ymhob gwlad yn Ewrop ymron, gan ddechrau yn y Pumdegau yn ein hoff wlad dramor, sef Llydaw. Prin oedd y meysydd gwersylla y pryd hynny. Byddem yn gwersylla mewn mynwentydd, caeau gwair a meysydd pêl-droed. Yn ystod ein taith wersylla i Sbaen, byddem yn galw yn neuaddau'r trefi a holi am faes gwersylla, a byddem yn cael ein cyfeirio bob tro i faes pêl-droed. Digwyddodd i ni wneud hyn yn La Coruña yn Galicia. Ducpwyd ni gerbron y maer a ofynnodd i ni o ble roeddem wedi dod. Pan eglurais ein bod yn dod o Gymru. 'O! Celtiaid,' meddai, 'Dewch gyda mi.' Arweiniodd ni i Ystafell y Cyngor, ac yno o gwmpas y muriau dangosodd i ni furgerfiadau yn darlunio dyfodiad y Celtiaid i Galicia yn y cyfnod Cyn Crist. Cysylltodd â gofalwr maes pêl-droed y ddinas a threfnodd i ni wersylla yno. Pan ddaethom at y maes, roedd y pyrth ar agor a'r gofalwr yn fawr ei groeso.

Buom yn gwersylla cyn belled i ffwrdd â'r Ffindir a Rwsia, Iwgoslafia, Gwlad Groeg a'r Eidal ac yn hwylio'r Môr Canoldir gan ymweld ag Ynysoedd yr Aegean, Caergystennin, Caer Droia, Effesus, Carthago yn Tunisia a Syracuse yn Ynys Sicilia.

Y Nadolig wedi i mi ymddeol o fod yn olygydd *Y Faner*, penderfynwyd yn sydyn ddathlu'r ymddeoliad a'r ymryddhad o'r dasg gaethiwus honno drwy fynd am wyliau i'r Aifft, i Cairo a Luxor. Gwnaeth y profiad o weld â'm llygaid fy hun natur y wlad honno les mawr i'm hamgyffrediad o hen wareiddiad rhyfeddol a godidog yr Eifftiaid.

Trefnodd Cwmni Teithio Richards daith i China yn nechrau'r Wythdegau. Cysylltwyd ag arweinydd y daith, T. Gwynn Jones *(Gwynn Tre-garth)*, ac ymunwyd â'r grŵp, Cymry Cymraeg i gyd. Ni ddaethom i adnabod ein gilydd nes glanio ym maes awyr *'the rich man, poor man island'*, Hong Kong, a chyrraedd ein gwesty moethus. Trefnwyd i ni ymweld â Macáu, dinas amgaeëdig i bob pwrpas, a sefydlwyd gan y Portiwgëaid, sydd bellach yn gyrchfan hapchwaraewyr Hong Kong. Teithiem yno mewn hydroffoil yng nghwmni crugyn o gamblwyr trachwantus. Wedi cyrraedd y lanfa byddent yn rhuthro fel gwŷr gwallgof am byrth y neuadd gamblo. Drannoeth teithiwyd ar drên yr un mor foethus i Nanning ac mewn awyren i Shanghai ac oddi yno i Beijing (Peking). Byddem yn ymweld â chanolfannau a oedd yn orlawn o Americaniaid a Siapaneaid, megis gerddi gwych, Mur China, ac amryw demlau, a theithiwyd ar long i lawr yr Afon Yangtze Kiang i olwg y môr, a golygai hyn oddef moethusrwydd cyfoglyd, ac ar ddamwain yn unig y caem gip ar y werin wrth eu gwaith a chael syniad am wir gyflwr y wlad. Pan ddeuai'r cyfle prin yn y dinasoedd, ni chawsom ein siomi. Nid oedd pethau mor wael ag roedd y cyfryngau yn ein gwlad ni yn ceisio rhoi ar ddeall. Cawsom fynd drwy arddangosfa ddiwydiannol, ac ar gwr un ystafell, fe glywais ferch yn toncian ar y piano yr alaw, 'Twll Bach y Clo'. Gelwais ar ein harweinydd, a bu trafodaeth yn y man a'r lle. Eglurodd fod y dôn yn adnabyddus iawn yng Nghymru. Ond credai'r ferch fod y dôn wedi dod i China o America.

Roedd nifer o'r Cymry a drigai yn Hong Kong wedi dod i ddeall fod grŵp o Gymry ar ymweliad â'r ddinas. Wedi i ni ddychwelyd o dir mawr China, cawsom ein gwahodd i swpera ym Mhrif Swyddfa Heddlu Hong Kong. Mae'n debyg mai Cymry, Cymry o dde Cymru, oedd penaethiaid heddlu'r ddinas. Wedi'r ymborthi a'r ymlyncu, cafwyd cân a chyfarchion, ac, wrth gwrs, bu rhaid i mi, yr Archdderwydd, roi'r diolchiadau. Y noson honno cyfarfûm ag Elfed Roberts, hen ddisgybl i mi yn Ysgol Ramadeg Rhiwabon, a oedd bellach yn athro Saesneg mewn Coleg Hyfforddi yn y ddinas. Fe'n gwahoddodd ni i'w fflat mewn adeilad a safai ar fryn uchel yn edrych dros y bae, ac fe aeth â ni o gwmpas y ddinas ac i olwg y porthladd a pharthau tlawd yr Ynys. Eto roeddem yn siomedig nad oeddem wedi dod mwy i gysylltiad â phobl gyffredin, gwerin cefn-gwlad China.

Buom yn fwy gofalus yn ein dewis o daith y tro nesaf, sef yr un i'r India. Ymgymerwyd â'r daith honno dros wyliau Nadolig 1982, ac roedd hi'n ddyrchafiad i'r ysbryd. Roedd Zonia wedi gweld hysbyseb yn y *Times Educational Supplement* am daith i'w threfnu gan Gymdeithas o Indiaid yn Llundain, ac yn dweud bod y daith yn agored i unrhyw un a diddordeb ganddo ym mywyd pentrefol y wlad. Roedd chwech ohonom yn y grŵp o dan arweiniad Mukat Singh, athro Mathemateg ym Middlesex yn teithio mewn awyren i New Delhi. Treuliwyd dydd Nadolig yn Amarpurkashi, pentref bychan o Hindŵaid yn nhalaith Uttar Pradesh, lle roedd ein harweinydd wedi'i eni. Roedd yn bentref eithriadol o dlawd, y tai heb ddodrefn o werth a'r lle tân ynddynt ar y llawr. Rhedai'r carthffosydd drwy ganol y strydoedd, ac roedd carthion y buchod yn dyrrau sychlyd ymhob cyfeiriad. Mewn ateb i gwestiwn, cawsom wybod bod cyfartaledd uchel iawn o'r plant yn marw cyn cyrraedd 5 oed. Ymysg pethau eraill ymwelwyd â'r Senedd-dy yn Delhi, temlau, ffatrïoedd, cwmnïoedd cydweithredol, sawl *ashram*, swyddfeydd banciau a oedd yn benthyca arian ar log isel i ffermwyr i brynu offer, undebau llafur a geisiai ddiogelu hawliau gweithwyr, ffermydd siwgwr, tai gwahanol deuluoedd, pentrefi ac ysgolion. Ym mhentref Nava Pura yn ymyl Amhedabad cawsom groeso cofiadwy. Gwisgwyd ni â thorchau o flodau ac arlwywyd gwledd ar ein cyfer.

Nid oedd cadeiriau na desgiau mewn rhai ysgolion. Yn ystod y gwersi byddai'r plant yn eistedd ar y llawr. Y dosbarth hefyd oedd yr ystafell gysgu i'r rhai a ddeuai o hirbell. Cysgent ar wellt wedi'i daenu dros y llawr. Rhaid oedd i'r athrawon ddilyn rhaglen ddysgu'r Llywodraeth, ac ymddangosai'r addysg a gyfrennid yn ffurfiol dros ben ac yn gwbl amherthnasol i'r math o fywyd a welid o gwmpas. Byddem ninnau yn cysgu ac yn bwyta gan amlaf ar y lloriau yn nhai pobl ac ashramau. Rhaid oedd cyfarwyddo â gweld genau-goeg neu fadfall anferth yn sgrialu heibio i'r gwely ac yn dringo'r waliau. Byddem yn cael ein gwahodd i ymuno yng nghyfarfodydd y cynghorau pentrefol mewn pebyll. Byddai'r cynghorwyr yn eistedd ar wellt mewn cylch a'u traed yn cyffwrdd â'i gilydd o dan gwrlid mawr, trwm. Roedd yr arferiad, meddir, yn gymorth i gael trefn a chytgord yn y cyfarfodydd, a chawsom fod hynny yn wir. Byddem yn pererindota i leoedd yn gysylltiedig â bywyd a gwaith Gandhi, ei weithdy a'i feddrod, yn sgwrsio â rhai o'i ddisgyblion, yn ogystal ag ymweld â lleoedd hanesyddol, adnabyddus, megis y Taj Mahal yn ymyl Agra a gwychderau Jaipur, yr arferai'r twristiaid gyrchu iddynt, a mynd i olwg yr encilfeydd lle y trigai lleiafrifoedd ethnig a'r gwylliaid a'r herwyr ar y tir neb rhwng y taleithiau. Cawsom ein cario mewn tacsis bach tair olwyn yn y dinasoedd prysur, mewn tryciau modur ac weithiau mewn cart wedi'i ieuo wrth fustych ar hyd y ffyrdd cul yng nghefn gwlad, ar eliffantod yn y canolfannau twristaidd a phryd arall ar hen drenau a oedd wedi gweld gwell dyddiau.

Ond yr oedd cyfoethogion yn y dinasoedd, fel y cawsom weld pan wahoddwyd Zonia a minnau i wledd a sesiwn gwobrwyo llenorion ifainc gorau'r flwyddyn a gynhaliwyd mewn pabell fawr yng ngardd Mr Om Prakesh Jain, perchennog ffatri bapur cyfoethog yn Delhi. Cyflwynwyd ni i nifer o lenorion ifainc, a thywyswyd ni o gwmpas ei dŷ helaeth. Roedd wedi neilltuo darn helaeth ohono i fod yn amgueddfa o greiriau hen wareiddiad yr India. Roeddem yno yng nghwmni Anees Jung, merch i gynreolwr Bombay a gohebydd a ffotograffydd i *The Economic Times of India*. Dwy flynedd yn gynharach, a minnau'n Archdderwydd, fe alwodd heibio i'm gweld yn Nhal-y-llyn gan ei bod am ysgrifennu erthyglau am Gymru. Cyhoeddodd un o'r erthyglau hyn yn rhifyn 2 Mai 1982 o'r papur hwnnw. Yn yr erthygl honno o dan y teitl *'A Celtic Experience'*, fe geisiodd grynhoi cynnwys y sgwrs a fu rhyngom. Dipyn o gawl yw'r crynhoad, ond fe ddaw un

173

peth yn amlwg, sef bod Anees Jung wedi dod o dan ddylanwad hud a lledrith gorffennol Celtaidd Cymru a'i mynyddoedd, ac yn ymdeimlo i'r byw â dyheadau cenedlaetholwyr Cymreig ac â dirfawr boen cenedl dan orthrwm, yn ei geiriau hi, *'the anguish of a people who have gently learnt to live with denial'*.

Yr un oedd fy adwaith o weld yn ddiweddarach adfeilion dinasoedd a gweddillion campweithiau'r cynfrodorion yn ucheldiroedd Periw. Ond yno fe deimlais ryw euogrwydd o weld y llanast a achoswyd yno gan yr Ewropeaid. Roedd Zonia a minnau yno ddiwedd y flwyddyn 1986 ar daith antur. Roedd wyth ohonom yn y grŵp yng ngofal anthropolegwr a fu yn gynharach yn ei yrfa yn astudio mytholeg brodorion fforestydd yr Amazon a oedd hyd yma wedi'u harbed rhag dylanwadau'r gorllewin Cristnogol. Gwelsom ddigon o dystiolaeth o fandaliaeth yr Eglwys Gatholig, megis Eglwys Gatholig o bensaernïaeth israddol yn ninas Cuzco wedi'i hadeiladu ar seiliau ac olion teml o ragorach pensaernïaeth o waith yr Incas. Gwelsom hefyd mewn mynwent hynafol ar ddarn o anialdir tywodlyd feddau'r cynfrodorion wedi'u hysbeilio gan y goresgynwyr a'u hesgyrn a chudynnau eu gwallt ar wasgar hyd y claddfeydd sychlyd. Profiad prin oedd canfod dinas fel Machu Picchu yn yr ucheldiroedd heb ei hanrheithio'n llwyr. Roedd tir y wlad wedi bod ers tair canrif ym meddiant y concwerwyr o Sbaen, ac roedd y cynfrodorion yn byw mewn tlodi anhygoel. Sbaeneg oedd iaith swyddogol y wlad. Eto roedd 40% o'r boblogaeth yn dal i siarad yr iaith frodorol, Quichueg. Roedd y wlad wedi'i rhwygo yn wleidyddol, ac yn y brifddinas, Lima, nid oedd neb i fod ar y strydoedd wedi nos.

Wrth gwrs, roedd y Periwiaid yn gytûn mewn un peth, sef yn eu gwrthwynebiad i'r concwerwyr newydd, y twristiaid, y *'gringos'*. I gyrraedd Machu Picchu roedd yn rhaid i ni deithio ar drên o Cuzco, a thaith flinedig oedd hi hefyd. Dinas mewn dyffryn dwfn oedd Cuzco. I ddod allan o'r dyffryn, byddai'r trên yn mynd am bellter i un cyfeiriad ac yna yn ôl i gyfeiriad arall sawl gwaith gan ddringo'n uwch bob tro nes cyrraedd llecyn digon uchel i'r trên allu mynd drwy fwlch yn y mynyddoedd i gyfeiriad Machu Picchu. Ond nid hynny yn unig a wnâi'r daith yn flinedig. Roedd y Periwiaid yn gwneud eu gorau glas i'n rhwystro rhag cael seddau. Byddent yn gorwedd drostynt. Bu rhaid i bob un o'n grŵp ni a'r twristiaid eraill sefyll ar eu traed yr holl ffordd. Pob rhyw hyn a hyn yn y gwahanol orsafoedd deuai gwragedd i mewn i'r trên i werthu ffrwythau, a byddent yn gwthio'u ffordd yn ôl ac ymlaen o un pen i'r trên i'r pen arall rhwng y twristiaid a oedd yn sefyll. Wrth ddychwelyd, trawyd plentyn gan y trên ac fe'i cafwyd yn farw. Bu rhaid cludo'r corff yn ôl i'r pentref ar y trên. Yn fuan wedi i ni ailgychwyn fe dorrodd yr injin i lawr, a buom yn aros am bum awr cyn parhau'r daith. Er mwyn cael injin arall, byddai'r gyrrwr yn taflu weiren a bachyn wrthi i fyny i'r weiren deliffôn a redai gyda'r rheilffordd, ac yn llwyddo i gysylltu â gorsaf Cuzco. Byddai'r teithwyr yn sefyll ar y rheilffordd a'r gwŷr a'r gwragedd, pawb yn eu tro, yn pisho i'r llwyni wrth ymyl y rheilffordd yn y gwres llethol.

Roedd trefnlen ein taith yn cynnwys ymweld â

dyffryn yr Amazon. Yno byddem yn cysgu mewn adeiladau simsan to brwyn, yn teithio mewn cychod ar ddŵr o dan goed anferth heb na glan na chilfach yn y golwg, yn cerdded llwybrau dyfrllyd llawn nadredd, morgrug a phryfetach, nes cyrraedd llannerch unig a synnu wrth weld dyn mewn cut yn gwerthu *inca cola*. Buom hefyd ar daith am filltiroedd lawer allan i'r Môr Tawel o Lima i weld y math o olygfeydd a welodd Darwin yn y ganrif ddiwethaf, y creigiau a'r ynysoedd yn frith o adar ac anifeiliaid prin a dieithr, ar daith mewn cwch o frwyn i ynysoedd wedi'u gwneud o frwyn, dihangfeydd y cynfrodorion rhag y goresgynwyr, ar Lyn Titicaca, y llyn uchaf yn y byd, ac ar daith hefyd mewn awyren i weld llinellau Nazca, ysgythriadau a wnaed gan y cynfrodorion ar y diffeithdiroedd tywodlyd.

Er ein hoffter o deithiau antur o'r fath, prin eu moethusrwydd, penderfynwyd ymuno unwaith eto â Chwmni Teithio Richards a T. Gwynn Jones ar gyfer taith i Batagonia ym mis Hydref 1988, taith a oedd wedi ei gohirio o 1982 oherwydd y rhyfel rhwng Prydain a'r Ariannin, ond hyd yn oed ym 1988 nid oedd modd ehedeg yn uniongyrchol o Lundain i'r Ariannin. Bu rhaid i ni newid i awyren yn perthyn i Gwmni Iberia ym Madrid i fynd i Buenos Aires ac yno cael awyren lai i'n cludo i Drelew ym Mhatagonia. Roedd nifer o Gymry yn ein cyfarfod yno, ac yn eu plith Neved Jones, chwaer mam Elvey McDonald. Fe'i cyflwynodd ei hun i ni gan ddweud ei bod yn perthyn i mi. Cafodd Zonia a minnau ein gwahodd i'w chartref mewn stryd o'r enw Lewis Jones, Trelew, a dysgu ganddi y byddai ei mam-gu, Mrs Mary Jones de Evans, gwraig Daniel R Evans (gw *Y*

Wladfa, R Bryn Williams, t.255), a merch i fewnfudwr o'r enw Thomas Morgan Jones, yn arfer dweud wrthi fod y bardd, Ben Bowen, yn gefnder neu'n gyfyrder iddi, a dangosodd lun o deulu Ben Bowen i ni. Addawodd hefyd y byddem, cyn i ni ymadael â'r Ariannin, yn cael copi o hanes ei theulu a oedd wedi'i ysgrifennu gan ei mam-gu, ac a gyhoeddwyd yn *Y Drafod* ym 1943. Yn ôl yr hanes roedd Thomas Morgan Jones yn arweinydd y gân yn eglwys Moreia, Cwmaman, Aberdâr, ac roedd ei weinidog, sef y Parch J. C. Evans eisoes wedi ymfudo i Batagonia ym 1874 ac ymsefydlu yn y Gaiman, Dyffryn Camwy. Penderfynodd Thomas Morgan Jones ei ddilyn, a hwyliodd ef a'i deulu a rhyw hanner cant o Gymry ar y llong *Masculine* o Lerpwl, 3 Medi 1875, a chyrraedd Buenos Aires. Yna ymhen ychydig ddyddiau daliwyd llong o'r enw *Rio Negro*, yr unig long a hwyliai rhwng Buenos Aires a'r Wladfa, a daeth hi'n ddiogel i dir yn aber yr afon Camwy. Oddi yno teithiodd y mewnfudwyr i'r Gaiman, cwrdd â'u cyn-weinidog, J. C. Evans, ac ymsefydlu yno.

Dangosodd Neved Jones i ni nifer o'r offer cegin hynafol yr oedd ei theulu wedi'u cludo ar y llong i'r Wladfa. Addewais iddi y buaswn yn ceisio fy ngorau i olrhain y berthynas rhyngom. Os oes perthynas, tueddaf i gredu bellach mai mam Ben Bowen a fy nhad o deulu Ffos-y-fron, y Bwlchnewydd yw'r cyswllt. Tybed ai dilyn perthnasau iddo roedd Benjamin Rees, ewythr i Ben Bowen o du ei fam, pan aeth ef i'r Ariannin yn Nawdegau'r ganrif ddiwethaf? Wedi'r cyfan, oni bu Michael D Jones yn weinidog yn y Bwlchnewydd lle y bu teulu mam Ben Bowen yn aelodau? A beth yw arwyddocâd y ffaith bod Eluned Morgan o'r Wladfa yn bresennol yn seremoni ddadorchuddio cofeb Ben Bowen ym mynwent Treorci 1 Hydref, 1908 a bod 'y Patagoniaid wedi bod yn afradlon yn eu parodrwydd i brynu *Cofiant Ben Bowen*' (gw. *Rhyddiaith Ben Bowen*, t.xxv)? Yn ddiweddar, wrth fynd drwy rifynnau *Seren yr Ysgol Sul*, am y flwyddyn 1928, cylchgrawn a olygid gan fy ewythr, Dafydd (Myfyr Hefin), gwelais lythyr at y Golygydd oddi wrth Thomas Morgan o Esquel, Cwm Hyfryd, Y Wladfa yn rhoi tipyn o hanes Benjamin Rees.

Mae'n debyg iddo fynd i'r Wladfa ym 1886 mewn llong a elwid *Vesta* o Lerpwl. Roedd rhyw 450 ar y bwrdd, y rhan fwyaf ohonynt yn lowyr o dde Cymru. Roeddynt wedi ymateb i hysbysiad am weithwyr i adeiladu rheilffordd o Borth Madryn i Trelew. Addawyd cyflog iddynt o bum swllt y dydd, a rhoddwyd ar ddeall iddynt hefyd y buasent yn cael darn o dir wedi iddynt orffen y rheilffordd. Profwyd caledi mawr, cans cysgai llawer ohonynt mewn pebyll yn y gaeafau. Bu'r gweithwyr ar streic hefyd. Wedi iddynt gwblhau'r gwaith, ni welwyd gwireddu'r addewid am y tir. Dychwelodd nifer o'r gweithwyr i Gymru. Ond arhosodd Benjamin Rees yno gan wneud ei gartref gyda'i frawd, Jonathan, a oedd wedi mudo i'r Wladfa yn gynharach. Roedd Jonathan yn ŵr gweddw ac yn dad i bump o blant, a thrigai ar dyddyn o ddau can acer. Bu farw o'r fogfa yn ystod arhosiad Benjamin Rees. Penderfynwyd gwerthu'r tyddyn a chwalodd y teulu.

Aeth un mab, Thomas, i Ganada a mab arall, Benjamin, i'r Taleithiau Unedig. Arhosodd y gweddill yn yr Ariannin. Beth fu eu hanes nid oes modd gwybod heb gryn ymchwil. Wedi deuddeng mlynedd yn y Wladfa dychwelodd Benjamin Rees i Gymru gan fyw ar aelwyd Thomas Bowen, fy nhad-cu, nes iddo symud i Trimsaran, Penbre.

Yn ei hanes mae Mary Jones de Evans yn dweud bod Cymry Aberdâr wedi'u cymell gan Dr Edwyn Roberts ac Abraham Mathews i fynd 'i Batagonia i fwynhau eu rhyddid a'r manteision lu roeddynt yn eu portreadu a ddeuai i'w rhan ond iddynt ddod a meddiannu'r wlad.' Dyna oedd gobeithion yr ymfudwyr ganrif yn ôl. Ond dyma ni yn ystod ein taith ganrif yn ddiweddarach yn cael cyfle i fod yn llygad dystion i'r wir sefyllfa heddiw.

Roeddwn hyd yn oed cyn mynd yno yn gallu fy uniaethu fy hun ryw gymaint â'r gwladwyr cyntaf a'u brwydr i oresgyn amgylchiadau gorthrymus creulon, ond wedi dod i adnabod y bobl a'r wlad, gallwn fy uniaethu fy hunan yn fwy fyth. Aeth y daith â ni i Borth Madryn a'r anghyfaneddle lle y glaniodd yr ymfudwyr cyntaf o Gymru ym 1865, i Drerawson i weld yr ysgol, i enau'r afon Camwy (Chubut), ac i Gaiman a Threlew, ac oddi yno mewn awyren i Esquel, Trefelin (Cwm Hyfryd), ac yna mewn bws cyn belled â'r ffin rhwng Ariannin a Chile. Sbaeneg, wrth gwrs, yw iaith swyddogol y Wladfa. Ni ddysgir y Gymraeg yn yr ysgolion, a Sbaeneg yw'r iaith gyfathrebu rhwng y Cymry gan amlaf. Gwag oedd nifer o'r capeli a welsom, ac ni wnaeth mynych weddïau y Parch D. Ben Rees a oedd gyda ni ar y daith ddim byd mwy na dwysáu'r gwacter. Oherwydd Rhyfel y Malvinas a chysylltiad Prydeinig y Cymry, roedd nifer o gofebau i'r gwladychwyr cyntaf o Gymru wedi'u anharddu. Y Taleithiau Unedig oedd tarddle diwylliant poblogaidd y wlad, fel y tystiai'r hysbysebion, y ffilmiau ac awyrgylch a diodydd y tai bwyta. Mae'n wir y byddai rhai o'r tai bwyta, yn ystod ein hymweliad beth bynnag, yn hysbysebu 'Te Cymreig'.

Roedd yr eisteddfod a welsom yn Nhrelew yn ddwyieithog. Merched oedd yn arwain y gweithgareddau yn ddieithriad ymron. Cymraeg oedd iaith seremoni'r Cadeirio am gerdd Gymraeg, ond Sbaeneg oedd iaith y ddefod goroni am gerdd Sbaeneg. Cymerodd nifer ohonom ran yn y Cadeirio, a gwahoddwyd fi i gyflwyno'r cyfarchion o Gymru. Soniais am y bwriad i ddathlu daucanmlwyddiant sefydlu'r Orsedd yn ystod Eisteddfod Aberystwyth 1992, ac wedi'r cyfarfod daeth nifer o'r gwladfawyr ataf i ddweud eu bod yn bwriadu dod i'r Eisteddfod honno.

Roedd y croeso a gawsom yn Gaiman a Threfelin yn beth i'w gofio. Darparwyd gwledd i ni o gig oen wedi'i rostio wrth dân coed, a chynhaliwyd noson lawen. Ond ni'r ymwelwyr a roddodd yr eitemau. Unig gyfraniad y gwladfawyr i'r noson oedd y pennill cyntaf o 'Calon Lân'. Teimlem yn drist o ganfod y fath dlodi diwylliannol Cymraeg. Ond y tristwch mwyaf oedd deall bod y tir gorau yng Nghwm Hyfryd yn eiddo i'r Cymry a bod y cynfrodorion wedi'u cyfyngu i diroedd sâl yr ucheldir. Heblaw hyn, roedd y Cymry wedi rhoi'r gorau i galedwaith y ffermydd ac wedi neilltuo i fyw yn y trefi, gan gyflogi Indiaid i wneud y gwaith fferm drostynt.

Yn y gwesty yn Buenos Aires ar y daith yn ôl, cawsom gwmni Valeira James, merch a oedd wedi gadael y Wladfa ac a drigai bellach yn Buenos Aires, a chyda hi roedd ei mab bychan. Cyflwynodd i ni lythyr oddi wrth Neved Jones yn amgáu copi o hanes ei theulu yn ôl ei haddewid i ni ar ddechrau'r daith. Pan ofynnais gwestiwn iddi am addysg a dyfodol ei mab, fe ddywedodd ei bod am ofalu ei fod yn cael yr addysg a fyddai'n ei baratoi i fynd allan i'r byd.

Yn ôl yn ein cynefin eto

Ym Mehefin 1981 fe alwodd Eifion Glyn o'r *Cymro* heibio a gofyn i mi sôn am fy mhrofiad fel Archdderwydd. Ymhlith pethau eraill, fe ofynnodd i mi beth oedd gennyf ar y gweill a minnau bellach wedi ymddeol o'r Archdderwyddiaeth. Dywedais wrtho, yn ôl ei adroddiad i'r *Cymro*, 16 Mehefin 1981, fy mod eisoes wedi cychwyn ysgrifennu 'cyfrol swmpus ar Hanes yr Orsedd'. Mae'n dda bod Eifion Glyn wedi cofnodi hyn. Oni bai am y cofnod ni fyddai gennyf syniad diogel o'r amser y dechreuais ar y gwaith. Buasai peth trafod am yr angen am lyfr o'r fath yn un o gyfarfodydd Bwrdd yr Orsedd yn gynharach, ac awgrymodd y Cofiadur, Gwyndaf, y dylaswn i ymgymryd â'r dasg. A dyna a fu. Roedd hi y tu hwnt i'm hamgyffrediad i sut roedd R. T. Jenkins yn gallu ysgrifennu hanes yr Eisteddfod Genedlaethol (gw. *Trans. Hon. Soc. Cymm*, 1933-35) a'r un modd Thomas Parry a hyd yn oed Cynan yn y gyfrol *Eisteddfod Cymru*, (Gwasg y Brython, d.d.) heb roi amlinelliad, o leiaf, o hanes yr Orsedd. Fe roes Dilwyn Miles well cynnig arni yn ei gyfrol *The Royal National Eisteddfod of Wales* gan gyfaddef yr un pryd fod ysgrifennu hanes yr Orsedd a'r Eisteddfod yn *'formidable task'*. Nid oeddwn am gyfyngu'r hanes i Orsedd Cymru yn unig, oherwydd fe fyddai hanes Beirdd Ynys Prydain yn anghyflawn heb fanylu ar Orseddau Llydaw a Chernyw hefyd. I wneud hynny byddai'n rhaid cael cymorth Zonia am ei bod yn medru

Llydaweg a Ffrangeg. Ein bwriad o'r cychwyn oedd cyhoeddi'r ffeithiau am hanes Gorsedd Beirdd Ynys Prydain pa mor niweidiol bynnag fyddai hynny i ddelwedd gyfoes yr Orsedd yng Nghymru, Llydaw a Chernyw, oherwydd yn bendifaddau roedd hanes Beirdd Ynys Prydain yn rhan o hanes twf cenedlaetholdeb diwylliannol a'r ymwybyddiaeth Geltaidd yng Nghymru, Llydaw a Chernyw yn ystod y ddwy ganrif ddiwethaf, ond roedd haneswyr hyd yma wedi anwybyddu cyfraniad y mudiad gorseddol i'r hanes hwnnw. Daethai'r amser i gywiro'r diffyg a pha well amser na 1992, sef blwyddyn dathlu daucanmlwyddiant sefydlu'r Orsedd ym 1792.

Roedd Pwyllgor yr Orsedd cyn belled yn ôl â 1923 wedi penderfynu sefydlu Pwyllgor Ymchwil i ysgrifennu'r hanes, ond ni weithredwyd, ac roedd trigain mlynedd wedi mynd heibio a mawr ddim o werth safonol, dibynadwy wedi'i ysgrifennu a'i gyhoeddi. O ganlyniad roedd yn rhaid mynd i lygad y ffynnon ac ymgydnabod â chynnwys llawysgrifau, llythyrau, newyddiaduron, cofiannau, trafodion ac adroddiadau swyddogol. Golygai hyn ymweld yn gyson â Llyfrgell Genedlaethol Cymru unwaith neu ddwywaith yr wythnos, ymweld hefyd â llyfrgelloedd sirol a threfol ac archifdai megis rhai Amgueddfa Werin Cymru a Gwynedd i hel defnyddiau cyn llwyddo i wneud tegwch â'r pwnc.

Digon tila fuasai ymdrechion y Llydawyr hefyd i wneud tegwch â hanes eu Gorsedd hwythau. Wedi treulio wythnosau lawer yn llyfrgelloedd ac archifdai Kemper a Brasparz, heblaw Llyfrgell Genedlaethol

Cymru, llwyddodd Zonia i gasglu cymaint o ddefnyddiau nes iddi benderfynu llunio traethawd a'i gyflwyno am radd M.Phil (Prifysgol Cymru) yn ychwanegol at ysgrifennu penodau ar yr hanes hwnnw ac ar hanes Gorsedd Cernyw i'r gyfrol. Cyflwynwyd y gyfrol honno, *Hanes Gorsedd y Beirdd,* i Gyhoeddiadau Barddas yn mis Chwefror 1990 gan obeithio y gallai weld golau dydd erbyn Eisteddfod y flwyddyn honno. Ond bu rhan o'r cymhorthdal yn hwyr yn dod, a gohiriwyd y cyhoeddi tan Eisteddfod Bro Delyn, 1991.

Roeddwn wedi addo i Fwrdd yr Orsedd y buaswn hefyd yr un adeg yn paratoi llyfr darluniadol ar hanes Gorsedd Cymru, a chefais addewid gan Wasg y Brifysgol y buasent yn cyhoeddi'r gyfrol, *Golwg ar Orsedd y Beirdd,* gyda chymorth ariannol y Cyngor Llyfrau Cymraeg, adeg Gŵyl Ddewi 1992.

Daucanmlwyddiant Gorsedd y Beirdd ac Arwisgo'r Prif Lenor

Cyflwynais femorandwm ar ddathlu Daucanmlwydd-iant Gorsedd Beirdd Ynys Prydain i Fwrdd yr Orsedd a gynhaliwyd 22 Mai 1988. Ynddo awgrymais nifer o bethau, ac yn eu plith: cynnal gorsedd mor agos ag oedd yn ymarferol i ddydd a mis cynnal yr orsedd gyntaf yn Llundain ym 1792; cael darlith ar Hanes yr Orsedd ar faes yr Eisteddfod yn Aberystwyth ym 1992; cael gwledd fin nos wythnos yr Eisteddfod yn ffreutur Neuadd Breswyl Penbryn, Pen-glais; cynnal seremoni ychwanegol i ragflaenu seremoni croesawu'r dirprwyon Celtaidd a'r Coroni; cyhoeddi'r gyfrol *Hanes Gorsedd y Beirdd* a'r llyfryn darluniadol mewn da bryd cyn y dathlu; cael arddangosfa yn Llyfrgell Genedlaethol Cymru; cynhyrchu plât a mẁg y dathlu a gwneud cais i'r Swyddfa Bost argraffu stamp arbennig i ddathlu'r achlysur.

Ynglŷn â'r stamp, lluniais gais dwyieithog ac ynddo amlinellais hanes Gorsedd y Beirdd a'i chyfraniad i fywyd diwylliannol Cymru i'w anfon at Harry Sivell (Harri Brechfa), Cyn-gadeirydd Bwrdd Post Cymru a'r Gororau ac at ei ddilynydd Colin Burbage. Wedi dwy flynedd a hanner o oedi, cawsom wybod bod ein cais yn fethiant.

Ynglŷn â'r Arddangosfa arfaethedig cefais wybod gan Brynley F. Roberts, Llyfrgellydd y Llyfrgell Genedlaethol, mewn llythyr caredig ataf, 9 Mehefin 1988, y byddai ei staff yn sicr o gymeradwyo'r syniad o gael arddangosfa o hanes Gorsedd Beirdd Ynys Prydain yn un o neuaddau'r Llyfrgell yn ystod haf 1992, pryd y byddai'r Eisteddfod Genedlaethol yn Aberystwyth. Bu cydymgynghori rhyngom, ac addewais y byddai'r Orsedd yn sicr o ganiatáu ei ddymuniad i ddangos regalia'r Orsedd hefyd yn yr arddangosfa.

Ynglŷn â chynhyrchu plât a mŵg y dathlu, rhaid oedd cael gwasanaeth artist, a chysylltodd y Cofiadur a Phensaer yr Orsedd, Jâms Niclas ac Ifan Eryri, â Meirion Roberts i gael ei gymorth. Cydsyniodd yn galonnog i ymgymryd â'r dylunio, ac ymwelais innau â'i gartref, Trefin, Min-y-don, Hen Golwyn, ddechrau Chwefror 1991 i drafod y symbolau priodol a ddylai fod ar y plât ac i gytuno'n fras ar y dyluniad. I drafod holl fater cynhyrchu a marchnata'r plât, trefnwyd cyd-gyfarfyddiad, Jâms, Ifan, Meirion a minnau yng Ngwesty'r Afr, Beddgelert, a phenderfynwyd yno dderbyn cynnig Crochendy Dolwyddelan i'w gynhyrchu; bod Meirion yn dylunio'r transffer ar gyfer y Crochendy ac Ifan i fod yn gyfrifol am y dosbarthu. Gwnaethpwyd tri chant, a gwerthwyd y cwbl yn ddidrafferth cyn Eisteddfod Genedlaethol 1991.

Oherwydd yr anfodlonrwydd ynghylch diffyg urddas y seremoni cyflwyno'r Fedal Ryddiaith a fynegwyd ym Mhwyllgor Gwaith Eisteddfod Bro Delyn, rhybuddiais y Cofiadur ym mis Ionawr 1990 fy mod yn bwriadu dwyn cynnig ger bron Bwrdd yr Orsedd parthed diwygio seremoni'r Fedal Ryddiaith. Danfonais y cynnig iddo 20 Chwefror, ac mae'n darllen fel hyn:

Yr ydym fel Bwrdd yr Orsedd yn fodlon ymateb i'r galw am ddiwygio seremoni'r Fedal Ryddiaith ond nid ar draul yr Awdl a'r Bryddest. Ein penderfyniad yw ein bod,yn Eisteddfod Genedlaethol Aberystwyth 1992, blwyddyn dathlu dau canmlwyddiant Gorsedd Beirdd Ynys Prydain, yn mabwysiadu seremoni newydd, sef un i gyflwyno'r Fedal Ryddiaith, a'i galw Seremoni Arwisgo a Gorseddu'r Llenor.

Mae gennym eisoes Urdd Bardd, a rhoddir y teitl Prifardd i'r sawl a gipia'r Gadair neu'r Goron ac a dderbynnir yn aelod o'r Orsedd. Mae gennym hefyd Urdd Llenor, ac ni welaf pam na allwn roi'r teitl Priflenor i'r sawl a arwisgir yn Llenor ac a dderbynnir yn aelod o'r Orsedd yn yr un modd. Yr un i bob pwrpas fyddai seremoni Arwisgo a Gorseddu'r Llenor â seremonïau'r Cadeirio a Choroni: Yr ymgynnull, Gweddi'r Orsedd, y feirniadaeth, cyhoeddi'r ffugenw, cyrchu'r Buddugwr, defod arwisgo a gorseddu'r Llenor, Cân yr Arwisgo, cyfarch y Buddugwr, y Ddawns Flodau a 'Hen Wlad Fy Nhadau'.

Danfonwyd i bob aelod o'r Bwrdd hefyd femorandwm yn dwyn y teitl 'Ystyriaethau a phethau i'w cofio wrth drafod y cynnig a rhai sylwadau perthnasol'.

Derbyniwyd y cynnig yn unfrydol gan y Bwrdd.

Ym mis Ebrill cefais wahoddiad i gymryd rhan mewn dadl yn y Babell Lên ddydd Gwener wythnos Eisteddfod Genedlaethol Cwm Rhymni 1990 ar y testun 'Y Goron am Ryddiaith'. Dydd Mawrth yr un wythnos roedd Cyfarfod Blynyddol yr Orsedd wedi penderfynu mabwysiadu seremoni Arwisgo'r Prif Lenor â'r Fedal Ryddiaith. Dydd Mercher mabwysiadodd Llys yr Eisteddfod gynnig Bwrdd yr Orsedd ar y mater. Beth bynnag, fe aed ymlaen â'r ddadl yn y Babell Lên, a chymerwyd rhan gan Robin Llwyd ab Owain, Bedwyr Lewis Jones, Harri Pritchard Jones a minnau.

Cyhoeddwyd fy anerchiad i yn *Barddas* Tachwedd 1990, ac mae'n debyg i mi egluro i'r gynulleidfa:

Bod Gorsedd y Beirdd, y corff sy'n gyfrifol i'r Eisteddfod am yr ochr seremonïol, yn ei chyfarfod blynyddol eisoes (dydd Mawrth) wedi datgan na chaniateir, fel y myn rhai, roi'r Goron am ryddiaith greadigol. Yn hytrach maent wedi cynnig ychwanegu seremoni newydd orseddol, sef Arwisgo'r Prif Lenor â'r Fedal Ryddiaith, at y gweithgareddau, a bod Llys yr Eisteddfod ddydd Mercher wedi derbyn cynnig Gorsedd y Beirdd ac wedi neilltuo diwrnod arbennig ar gyfer hyn.

Trwy weithredu felly rydym yn osgoi'r gofid o orfod bradychu'r traddodiad barddol. Onid y weithred dristaf yn hanes yr Eisteddfod fyddai caniatáu i lenorion gipio'r Goron yn dreisgar oddi ar bennau beirdd a fyn gyfrannu mor wych i'n traddodiad barddol, i'w rhoi ar eu pennau eu hunain? Pa lenor a fyddai'n ymhyfrydu yn y fath weithred anghyfrifol, dreisgar a chywilyddus?

Cawsom un brofedigaeth deuluol, fawr ym 1988. Bu farw Euros ar yr ail o Ebrill yn Ysbyty Wrecsam yn 83 oed a'i gladdu ym mynwent Wrecsam wedi gwasanaeth yn Eglwys y Plwyf, ac Esgob Llanelwy yn bresennol. Cafwyd gwerthfawrogiad o'i gyfraniad i'n llên gan Bedwyr Lewis Jones ar y teledu a thraethais innau yn fras ac yn fyr arno. Ar gais golygydd *Y Faner*, danfonais iddi grynodeb o'r hyn a ddywedais, ac fe'i cyhoeddwyd yr wythnos ddilynol. Ar gyfer rhifyn Gorffennaf 1988 o'r cylchgrawn *Taliesin* manylais ymhellach ar ei fywyd mewn erthygl yn dwyn y teitl 'Euros — Cip ar ei Gefndir Teuluol'. Trefnodd yr Academi Gymreig Gyfarfod Teyrnged iddo yn Neuadd Llangywair, 18 Tachwedd 1989. Cymerwyd rhan gan Dafydd Rowlands, Bryan Martin Davies, Gwynne Williams a minnau. Ceisiais yn fy araith ddangos beth oedd dylanwad ei fagwraeth ac yn ddiweddarach ei arhosiad ym Mhenllyn ar gynnwys a mynegiant ei gerddi. Cyhoeddwyd yr araith yn rhifyn Mawrth 1990 o *Taliesin*. Ychydig amser wedyn euthum i weld ei feddfaen. Sylwais fod y saer maen wedi rhoi hirnod uwchben yr 'o' yn 'cof', camgymeriad a fyddai wedi gwneud Euros yn wallgof.

Bu trychineb arall yr un flwyddyn. Mis wedi marw Euros bu farw fy nghyfaill, Alun Llywelyn-Williams, bardd a adnabuaswn yn dda iawn o ddyddiau Coleg ac a gafodd gryn ddylanwad arnaf. Aeth Zonia a minnau i'r cynhebrwng yn Amlosgfa Bangor, 14 Mai 1988, ac wrth wrando ar deyrnged Dyfnallt Morgan iddo, ymfalchïwn yn y ffaith i mi, ym 1948-9, ysgrifennu erthygl i *Y Llenor* (1949) ar ei gerddi. Ar y pryd nid oedd fawr neb wedi rhoi iddo'r sylw a deilyngai.

Buasai'r ddau, Euros ac Alun, yn aelodau o'r Academi Gymreig o'r cychwyn, o 1959, pryd roedd yr aelodaeth yn gyfyngedig i'r nifer fytholegol pedwar ar hugain o lenorion. Rhyw ddeng mlynedd yn ddiweddarach fe'm gwahoddwyd innau i fod yn aelod. Fel y dengys Bobi Jones yn y gyfrol *Dathlu*, ffrwyth un o'r cynadleddau a drefnwyd gennyf ar ran y Weinyddiaeth Addysg gyda chydweithrediad yr Academi yng Ngholeg Dewi Sant Llanbedr Pont Steffan ym 1970 oedd y gyfrol *Ysgrifennu Creadigol* a olygwyd gennyf ac a gyhoeddwyd ym 1972.

Roeddwn, o gychwyn fy nhymor yn yr Arolygiaeth, yn aelod o Bwyllgor Llenyddiaeth Cyngor y Celfyddydau ac yn gyfarwydd ag amcanion a gweithgareddau'r

Academi o'r cychwyn cyntaf o dan lywyddiaeth GJ Williams. Bûm yn darllen fy ngherddi yn un o'i cynadleddau yng Ngregynog a llywyddu yng Nghyfarfod Teyrnged Gwilym R. Jones, Golygydd *Y Faner*, yn Ninbych a dyfarnu Gwobr Griffith John Williams yn fy nhro. Cefais fy nghomisiynu gan yr Academi ym 1984 i lunio cerdd yn cyfarch Thomas Parry ar gyrraedd ohono ei bedwar ugain ac a oedd i'w darllen yng Nghinio Pen-blwydd yr Academi. Roedd Thomas Parry yn rhy wael i fod yn bresennol, ond fe ysgrifennodd lythyr ataf 8 Hydref yn diolch am y gerdd.

Yn Ebrill 1989 derbyniais wahoddiad gan Gymdeithas Gelfyddydau Gogledd Cymru i lunio cyfrol ar W. J. Gruffydd yn y gyfres ddarluniadol *Bro a Bywyd*. Cesglais luniau o'r gwahanol lyfrgelloedd ac archifdai, ond nid oedd gennyf ddigon o luniau yn ymwneud â magwraeth a bywyd teuluol WJG i wneud cyfrol foddhaol. Eglurais i Ddirprwy Gyfarwyddwr y Gymdeithas beth oedd fy mhroblem. Pan oeddwn ar roi'r gorau iddi, a minnau ym mis Medi yn aros gyda'r ferch, Siân, yn Nhyddyn Andrew Uchaf, Bethel, gelwais yn yr Ysgol Gynradd leol i weld a oedd y prifathro a'r staff yn adnabod rhywrai lleol a fedrai fy nghynorthwyo. Awgrymodd y prifathro y byddai yn danfon neges i rifyn Hydref o'r papur bro, *Eco'r Wyddfa*. A dyna a fu, ac roedd rhif fy ffôn ynddo. Sylwodd Hywel Gwynfryn ar y neges a'i hailadrodd ar y radio. Cefais wedyn nifer o alwadau a fu'n gymorth mawr i wneud y gyfrol rywle yn agos i fod yn gymeradwy gan y Dirprwy Gyfarwyddwr a'i bwyllgor.

Amryw

Pan ymddeolais o'm swydd fel Arolygydd yr Ysgolion ym 1975, sylweddolais fy mod yn rhydd i newid ardal pes dymunwn, ond aros yn Nhal-y-llyn a wneuthum, a phenderfynu gwneud mwy o waith yn yr awyr agored. Roedd llawer o waith wedi'i wneud o gwmpas y tŷ unllawr eisoes. Roeddwn wedi adeiladu cronfa newydd i ddal dŵr a darddai ar y Fron Fraith y tu cefn i'r tŷ. Cynorthwyais fy nghymydog David Hughes, Dolfannog, i wneud cronfa ddŵr debyg iddo yntau ac ailwneud corlan i'w ddefaid. Gyda'i gymorth ef a'r mab, Steffan, codwyd ffens newydd rhwng ein gardd a chae fferm Cwmrhiwfor. Aethom ati i ailosod lawnt, gwneud llwybrau concrit newydd at ddrws y ffrynt ac ailbalmantu'r cefn. Ailadeiladwyd yr ystafell ymolchi ac adeiladwyd simnai newydd i'r Aga. Gosodwyd llawr yn y llofft a grisiau yn lle'r ysgol.

Wrth gwympo nifer o goed a oedd yn sarnu'r olygfa i gyfeiriad y llyn, a chael gwared â'r rhai a oedd wedi cael eu chwythu i'r llawr gan y stormydd digwyddodd i mi mewn ffordd ddyrys anafu fy mhen-glin. Barn y meddyg oedd — *septic arthritis*, crawn yn y pen-glin, a bu'n rhaid i mi gael llawdriniaeth yn Ysbyty Pen-glais, Aberystwyth. Roedd y driniaeth yn llwyddiant. Yn fuan wedyn, er bod gennyf lond ceg o ddannedd da, dechreuodd rhai ohonynt ymryddhau yn eu lle. Ymgynghorais â'r deintydd, ac fe dynnodd rai ohonynt. Ond ni chefais eglurhad ar yr afiechyd. Roeddwn wedi bod yn amau ers tro cyn i mi ymadael â'r Weinyddiaeth fy mod yn dioddef o *prostrate gland*, ac ym 1977 ymgynghorais eto â'r meddyg, a chefais fod sail i'm hamheuon. Unwaith yn rhagor roeddwn yn Ysbyty Penglais i gael llawdriniaeth. Bu'n llwyddiannus dros ben, a chefais wir adferiad iechyd. Ailgydiodd fy holl ddannedd yn gadarn yn eu lle hyd yn oed.

Roedd derbyn lluniau ar y teledu yn broblem yn Nhal-y-llyn. Nid y mynyddoedd yn unig oedd yr anhawster ond y ffaith hefyd fod y tai wedi'u codi mewn encilfeydd cysgodol o gwmpas y llyn. Penderfynodd David Hughes, John Pugh, Dolfannog-fach, a minnau ffurfio consortiwm. Gosodwyd erial ar gŵr uchaf Mynydd Ceiswyn a'i gyfeirio at Bolyn Teledu Blaenplwyf, a gosod cebl o dan y tyweirch i lawr y llechwedd at Ddolfannog i gario'r trydan a'r signal. Roedd y sistem yn gweithio'n dda ond iddo gael llonydd rhag y fellten. Yswiriwyd y gwaith gan Gwmni Prudential. Ond gwnaeth y fellten y fath ddifrod un gaeaf nes i'r Prudential wrthod talu'r gost o drwsio.

Cyn ymddeol roeddwn byth a beunydd ar grwydr fel yr oedd y galw, ond wedi ymddeol cefais fwy o hamdden i ddod i adnabod y dyffryn a'r trigolion. Dechreuais gymryd mwy o ddiddordeb ym mywyd gwyllt yr ardal. Cefais ganiatâd Mr Thompson, perchennog gwesty Tynycornel, i fynd a'r canŵ ar Lyn Myngul, ac roeddem fel teulu yn cael cryn hwyl a boddhad yn hamddena'n braf ar ei ddyfroedd bas ac yn archwilio'i lannau.

Ym mis Chwefror 1974 bu farw mam Zonia yn 86 oed, ac yn fuan wedyn daeth ei thad atom i fyw i

Dremlyn, Tal-y-llyn. Roedd yn tynnu at ei 90, a daliodd yn weddol heini nes cyrraedd ei gant. Roedd yn ieithydd ac eisoes yn gallu siarad Hindwstani a Ffrangeg, ac ymrôdd i ddysgu Cymraeg. Roedd ef hefyd yn dipyn o gerddor, bardd ac awdur storïau byrion. Yn ystod ei dymor fel milwr yn yr India fe gymerodd ddiddordeb dwfn yn niwylliant a chrefyddau'r wlad honno ac fe'i galwai ei hun yn Fwdist. Er ei fod yn aelod o'r lluoedd arfog cyn dod yn bostfeistr, roedd yn wrth-imperialaidd iawn. Fe ofalodd chwaer Zonia yn Birmingham amdano am ysbaid hefyd. Ym 1986 dechreuodd wanychu, ac fe aeth yn ddiymadferth. Cymerwyd ef i ysbyty ac yno y bu farw yn 101 oed. Zonia oedd yn gyfrifol am drefnu'r angladd. Ni fynnai ei thad unrhyw seremoni grefyddol. Ei ddymuniad oedd i'w gorff gael ei ddwyn i'r llosgi i sain 'The Lincolnshire Poacher', sef cân y Lincolnshire Regiment, y gatrawd y perthynai iddi pan oedd yn y fyddin. Mae'r *yakdan*, y gist ledr a ddefnyddiai i gadw ei bethau personol pan oedd yn cadw'r ffin, y *North West Frontier*, yn yr India, yn nechrau'r ganrif, ynghadw gyda ni. Mae'n llawn o luniau ac o ddogfennau personol yn cynnwys hanes ymgyrchoedd ei gatrawd ym mrwydrau y Somme, Mons a Paisschendale ynghyd â dyddiaduron yn cofnodi digwyddiadau pob dydd o Awst 1914 hyd ddiwedd y rhyfel byd cyntaf.

Wedi i Zonia a minnau ddychwelyd o Ganada ar 8 Ebrill 1984, cawsom wybod bod Yr Hen Reithordy, Tal-y-llyn ar werth, a phenderfynodd fy mab, Steffan, a oedd ar y pryd yn y busnes Cyfrifiaduron yn sir Gaerloyw, a ninnau brynu'r lle ar y cyd. Daeth ef a'i deulu yno i fyw. Ond ymhen blwyddyn, penderfynasant ymfudo i Ganada lle'r oedd Alison, ei wraig, wedi'i magu a lle'r oedd ei theulu yn byw. Penderfynodd Zonia a minnau symud i mewn i'r Hen Reithordy a gwerthu'r tŷ-unllawr, Tremlyn.

Yn y Gwanwyn, 1985 cefais lythyr oddi wrth Lance Thomas a Susan Prey, y naill yn Gymro a'r llall yn Wyddeles, o Los Angeles yn datgan eu dymuniad i gael eu priodi gan fardd o Gymro ac aelod o Orsedd y Beirdd mewn seremoni Gymraeg i'w chynnal ar Glastonbury Tor, bryn unigryw, 520 troedfedd a gysylltir â'r chwedl Arthuraidd, yng Ngwlad yr Haf. Yn fy ateb eglurais iddynt y byddai'n ofynnol iddynt fynd trwy seremoni briodasol mewn cofrestrfa yn gyntaf. Awgrymais iddynt hefyd gysylltu ag Elerydd, Yr Archdderwydd a oedd hefyd yn weinidog gyda'r Bedyddwyr. Canol mis Hydref daeth galwad ffôn oddi wrthynt. Roeddynt yn ffonio o Westy Tynycornel, yr ochr draw i'r llyn. Roeddynt newydd gyrraedd o'r Taleithiau Unedig yn ddirybudd ac am gael sgwrs ynglŷn â'r briodas. Bore drannoeth cefais wybod eu bod wedi gwneud trefniadau i briodi mewn Cofrestrfa yn Shepton Mallet, 1 Tachwedd a'u bod wedi llunio defod Gymraeg ar gyfer y seremoni i ddilyn ar Glastonbury Tor. Cawsom wybod hefyd y byddai'r gwisgoedd priodas yn ganoloesol eu golwg. Wedi i mi egluro iddynt na fedrwn ddefnyddio urddwisg orseddol yn y seremoni, addawsant y byddent yn pwrcasu defnydd ac yn gwneud urddwisg arbennig ar gyfer yr achlysur. Trannoeth roeddynt yn ôl unwaith eto ar ein haelwyd, yn torri ac yn gwnïo. Wedi gorffen y dasg, gwahoddwyd

Zonia a minnau ganddynt i ginio yng Ngwesty Tynycornel, ac yn ystod y gwledda trafodwyd y manylion a'r cynlluniau terfynol. Diwrnod cyn y briodas teithiodd Zonia a minnau ar y trên o Fachynlleth i Gasnewydd. Yno yn ein cwrdd roedd Lance i'n cludo yn ei gar Americanaidd i Glastonbury. Cawsom lety mewn gwesty hynafol, The George and Pilgrims Hotel. Roedd dringo'r bryn i lecyn y briodas yn dipyn o straen, ond syndod oedd gweld cymaint o wylwyr, gwŷr y camerâu teledu a'r Wasg, a chlywed trwmpedwyr o'r *Royal Corps of Transport* yn seinio croeso a chyfarchiad. Wedi defod fer a diffuant cafwyd gwledd gofiadwy yn y gwesty. Un o'r gwahoddedigion oedd Lyn Evans, cyn-swyddog Teledu Harlech a mab Hywel T. Evans, cyn-brifathro fy hen ysgol yn Aberaeron.

Ar 11 Ebrill, 1987, priododd ein merch hynaf, Nia Mererid, ag Owen Owens, mab T. Einion ac Annie Owens o Dywyn, yng Nghofrestrfa Dolgellau. Roedd y ddau wedi bod yn ddisgyblion yn Ysgol Uwchradd Tywyn ac yn fyfyrwyr yn y Brifysgol yn Aberystwyth. Dysgai Owen Fathemateg yn Ysgol Maes Garmon, Yr Wyddgrug, a Nia Gymraeg yn Ysgol Morgan Llwyd, Wrecsam. Roedd y naill a'r llall yn ddrymwyr, Owen yng ngrŵp Geraint Lovgreen a'r Enw Da, a Nia yn y grŵp Pryd Ma' Te. Chwaer Nia, sef Siân, oedd y forwyn briodas a'r gwas priodas oedd Iwan Llwyd, Bardd Coron Eisteddfod Genedlaethol Cwm Rhymni wedyn. Roedd cynrychiolaeth dda o'r perthnasau o'r ddwy ochr yn bresennol yn cynnwys fy mab hynaf, Rhys, ei wraig, Anne, a'r plant, a Steffan, y mab ieuengaf a ddaethai drosodd yn arbennig o Toronto. Yn y neithior a gynhaliwyd yng Ngwesty Pen-y-bont cafwyd eitemau gan Geraint Lovgreen, aelodau Pryd Ma' Te ac eraill. Darllenodd Iwan Llwyd gywydd o gyfarch. Erys un o'i linellau ar y cof, sef 'Heddiw rhwymwyd dau ddrymar'. Darllenais innau y cywydd cyfarch canlynol:

> Bu'r tylwyth a bro'r teulu
> Yn disgwl i'r cwpwl cu
> Wneud peth od, sef priodi
> Law yn llaw, dilyn y lli.
> Ymlynu am ddeng mlynedd,
> Ara iawn fu ieuo'r wedd.
> Roedd un rhy ddof i ofyn,
> Un yn swil, — dyna 'chi syn!
> Oedi beth, ond dod i bant
> I'r neithior a wnaethant.
> O'r dydd daeth newydd i ni,
> Swynwyd holl Fro Dysynni.
>
> I Nia ac i Owen
> Mae'r Fro yn gwisgo ei gwên,
> Y Foel yn llawn gorfoledd,
> Y Ddôl ar ei newydd wedd,
> Rhaeadrau Cadair Idris
> Yn rhoi llam dros lethrau'r llus,
> I lawr yn ffrwd ddisgleirwyn
> Fel llafn i ddyrnfol y llyn,
> Neidio i gafn rhwng dwy gefnen,
> Bwrw nerth rhwng y bryniau hen,
> Cesair yn chwipio Ceiswyn,
> Dilyw llwyd dros Dal-y-llyn,
> Glaw di-daw o Dywyn,
> Ffest fel hen wragedd a ffyn,

Galwyni dros y glannau
Ba ryw hyd mae i barhau?
Dagrau gwynfydedigrwydd
Yn lleng i'r ddeuddyn a'u llwydd.

Tyrra'r cotieir o'u cutiau,
Cwrsio brwd rhwng y cyrs brau,
Mordwyo uwch gwrymiau'r dŵr
A'u hollti fel llym gwlltwr.
Y ceiliogod yn clegar,
A si a thrwst sathru'r iâr,
Y praidd yn wyna cyn pryd,
Adar yn atal dywedyd,
Meheryn heb gymharu,
Iair y plwyf yn bwrw'u plu,
Mae hychod yn cau llodi
A gast yn udo am gi
Drysu mae pawb o draserch, —
Mab yn priodi â merch.

I Owen ac i Nia — llawenydd
    Fo'n llenwi eu gyrfa.
I Einion ac i Anna,
I chi i gyd, iechyd da.

Yn yr hwyr cynhaliwyd parti dathlu yn yr un gwesty.

Ar 2 Gorffennaf, 1988 priododd yr ail ferch, Siân Arianwen, â Rhys Harris, mab Gwilym ac Ella Harris o'r Rhos, Pontardawe, yng Nghofrestrfa Dolgellau. Buasai'r ddau yn gynfyfyrwyr yng Ngholeg y Brifysgol, Aberystwyth a Rhys yn gynharach yn aelod o'r grŵp pop, Trwynau Coch. Roedd Siân ar staff Ysgol Dyffryn Ogwen ar y pryd a Rhys yn Gyfrifydd yng Nghaernarfon. Arlwywyd y neithior yng Ngwesty Neuadd y Bont-ddu. Darllenais y cyfarchion a ganlyn:

Heddiw ar lannau Mawddach
Mae haid o'r Boweniaid bach,
Nythaid o Harrisiaid Rhos,
Plant y Garnant a'r Gurnos,
A'r lleill, ein hoff gyfeillion,
O Arfon, Meirion a Môn,
Nyni a rhieni Rhys,
Ar odre Cadair Idris.
Swyno'r awr mae Siân a Rhys,
Daliant eu dwylo dilys.

Aur modrwyog y Clogau,
Hen dro, sy'n cadwyno dau.
Os mynd Siân, oes mwy ond siom
I hanes pawb ohonom.
Colli Siân, colli synnwyr,
I Dad a Mam, lladrad llwyr.
Crïo'r lle mae'r creyr llwyd,
Gwepian am ferch a gipiwyd,
Sleifio yng nghesail afon
A hen friw o dan ei fron;
Monni mae ŵyn y mynydd,
Try'r hwrdd i ffwrdd yn ddi-ffydd;
Y gotiar aeth i gwato
O dan y drain, dyna dro;
Y bioden a bwdodd,
I ffwrdd i'r gweunydd y ffodd
I guddio'n eiddigeddus
Fry yn y llwyni llus.

Reis a sws i Rys a Siân,
Llwydd nid aflwydd aflan;
Llond rocet o gonffeti
I'r ddau'n dymuniadau ni;
Oes a mwy o fis mêl
Yn y bwthyn yn Bethel.

I Gwil a'r meddyg Ella
Lond ciw gyda ffliw a phla,
Cleifion ddynion gwael ddannedd,
Oll yn wael yng Nghastell-nedd.

Boed i chi 'gyd iechyd da, —
Ŵyl ddistaw o loddesta.

Ym 1989 gwahoddwyd fi i feirniadu yng
nghystadleuaeth y Goron yn Eisteddfod Genedlaethol
Cwm Rhymni 1990. Roedd derbyn y gwahoddiad yn
syndod i mi, oherwydd beirniadu'r Awdl fuasai fy nhasg
yn y gorffennol, o leiaf naw o weithiau er Eisteddfod
Glyn Ebwy 1958. Ond wedi deall bod fy nith, Eleri
Betts, yn rhoi'r wobr ariannol yn y gystadleuaeth, cefais
ryw eglurhad! Roedd hi'n gystadleuaeth dda iawn, a
chafwyd cryn fwynhad yn cydweithio ag Alan Llwyd a
T. James Jones a gweld coroni'r bardd ifanc, Iwan
Llwyd.

Ym 1987 cefais wahoddiad gan yr Esgob Daniel
Mullins, aelod o Fwrdd Golygyddol *The Journal of
Welsh Ecclesiastical History* i ysgrifennu erthygl i'r
cylchgrawn hwnnw. Danfonais iddo fy astudiaeth o *Y
Drych Cristnogawl*. Penderfynodd y golygydd gyhoeddi'r
erthygl yn llyfryn ar wahân, ac fe ymddangosodd ym
1988. Ym 1989 derbyniais lythyr oddi wrth Dr Gwyn
Thomas, Ysgrifennydd y Bwrdd Astudiaethau
Celtaidd, yn dweud bod y Bwrdd yn fy ngwahodd i
olygu 'Y Drych Kristnogawl (Llawysgrif Caerdydd
3.240) ar gyfer ei gyhoeddi. Mae'r gwaith, bellach, yn
y Wasg.

Roedd 1988 yn flwyddyn dathlu cyhoeddi Beibl

William Morgan yn 1588, a chefais y fraint o gael fy ngwahodd i ddarlithio yng Ngŵyl Llyfrgelloedd Clwyd. Dewisais ddarlithio ar 'Catholigion Cymru yn Amser William Morgan'. Cyhoeddwyd y ddarlith ynghyd â darlithiau gan Glanmor Williams, Nia M. W. Powell a Derec Llwyd Morgan gan Gyngor Clwyd ym 1988 yn y llyfryn *William Morgan, y Dyn, ei Gyfnod a'i Feibl.*

Yr un flwyddyn, ar 15 Medi traddodais Ddarlith Goffa John Morris-Jones yn Neuadd Goffa Llanfairpwllgwyngyll. Sylwaf i mi, wrth agor y ddarlith, ddweud hyn am Syr John:

Mae rhesymau personol, annirnad pam y mae rhai unigolion wedi'u cael eu hunain heb yn wybod iddynt oddi ar ddyddiau ysgol yn llwyr o dan ei ddylanwad. Ym 1933, a minnau'n ddwy ar bymtheg oed, cefais lythyr oddi wrth Brifathro Ysgol Sir Aberaeron, lle buaswn yn ddisgybl, yn gofyn i mi pa lyfr y buaswn yn hoffi ei gael yn wobr am lwyddo cael mynediad i'r Brifysgol. Dewisais *Cerdd Dafod, sef Celfyddyd Barddoniaeth Gymraeg,* John Morris-Jones. Edrychwn ymlaen yn eiddgar at y Dydd Gwobrwyo. Esgynnais i'r llwyfan ac estynnwyd i mi gyfrol werdd. Cofleidiais hi yn ofalus a dychwelyd i'm sedd. Teitl y gyfrol oedd *The Poetical Works of John Milton.* Gan gymaint fy siom euthum ar ddiwedd y seremoni, gan drechu fy swildod llethol, arferol, i ystafell y Prifathro i geisio eglurhad. Yr ateb a gefais oedd fod y llyfr y gofynnais amdano yn rhy ddrud. Mae'r llyfr *Poetical Works of John Milton* gennyf o hyd — ar y silff heb ei agor.

Ac wrth gloi'r ddarlith, dyma a ddywedais am Syr John:

Cynddeiriogai pan welai y Beirdd Newydd ar droad y ganrif yn beichio eu cerddi gan ddiwinyddiaeth a strôcs pregethwrol athrawiaethol, fel petai dweud bod ystyr i fywyd a bodolaeth ynddo'i hun yn rhoi ystyr i fywyd a bodolaeth. Mae un peth yn sicr, gwnaeth ei fywyd ei hunan yn grwsâd dros iaith a llên Cymru a thrwy hynny, rwy'n berffaith sicr, fe roddodd ystyr i'w fodolaeth a'i fywyd ei hunan.

Gwelwyd newid mawr yn Nhal-y-llyn ym 1989. Prynwyd Gwesty Tynycornel a Llyn Myngul gan y Bwrdd Dŵr. Roeddwn wedi cael caniatâd y cynberchennog i roi'r canŵ ar y llyn, a bernais y dylaswn ofyn am ganiatâd y Bwrdd Dŵr. Ysgrifennais at y Cadeirydd, John Elfed Jones. Yr ateb a gefais oedd, 'Ni allwn ganiatáu canŵio ar y llyn yn ystod tymor pysgota'. Golygai hyn mai yn ystod misoedd oer y gaeaf yn unig y gallem fel teulu fynd â'r canŵ i'r dŵr ar waelod ein gardd. Roedd ei ateb cynddrwg â phetai yn gwrthod yn gyfan gwbl. Dechreusom genfigennu wrth y dieithriaid cyfoethog a oedd bellach yn eu mwynhau eu hunain.

Tymor yr haf, 1991, penodwyd Owen, gŵr Nia, yn bennaeth Adran Fathemateg Ysgol Syr Hugh Owen, Gaernarfon. Golygai hyn y byddai'r teulu bach yn symud o'r Wyddgrug i Gaernarfon i fyw, ac y byddai'r ddwy ferch yn byw yn ymyl ei gilydd. Roedd Owen a Nia a'u llygaid ar dŷ yn y dref ei hunan ac roedd Siân a Rhys eisoes wedi ymgartrefu ym Methel. Dechreuodd Zonia a minnau feddwl am newid tŷ a symud i Arfon yn enwedig wedi i ni gael cynnig oddi wrth Gymro Cymraeg, yr oedd ei fam wedi bod yn gyd-ddisgybl i mi yn Ysgol Aberaeron, i brynu'r Hen Reithordy. Ar 21 Gorffennaf 1991 symudwyd o Dal-y-llyn i Gaeathro, yn Arfon.

Erys hudolus dalaith
Eryri a'i moelni maith;
Af yno, a chaf ennyd
Weled mwyned yw fy myd;
Caf yno anghofio 'nghur,
Ni ddaw wylo hen ddolur.

Mi luniais hyn o linellau yn y flwyddyn 1937!